ACTIVITÉS
PARANORMALES

ACTIVITÉS
PARANORMALES

Paul Roland

ACTIVITÉS PARANORMALES
Paul Roland

© Music & Entertainment Books, 2010
16, rue Albert-Einstein – Marne-la-Vallée
77420 Champs-sur-Marne, France
www.musicbooks.fr

Première édition pour la traduction française
© Talents Publishing LLC, 2010
Copyright © 2008 Arcturus Publishing Limited
Première publication par Arcturus Publishing Limited
Traduit de l'anglais par Isabelle Chelley
ISBN 978-2-35726-058-0

Tous droits réservés.
Directeur d'édition : Eddy Agnassia
Collection coordonnée par Flore Law de Lauriston
Mise en page : Anthony Gaucher
Couverture : Mathieu Tougne – www.grafiker.fr et Rex Features

SOMMAIRE

« *Partout où nous allons, nous foulons la terre hantée, sacrée.* »
Lord Byron (1788-1824)

INTRODUCTION

« Derrière chaque être vivant il y a trente fantômes, car tel est le rapport des morts aux vivants. »
Arthur C. Clarke, 2001, l'Odyssée de l'espace

Les morts sont autour de nous. Nous sommes entourés de fantômes, mais nous sommes, pour la plupart, trop occupés par le quotidien et nos besoins physiques pour s'apercevoir de leur présence. Dans un monde de changement constant et souvent brutal, nous cherchons la stabilité ; nous voulons être ancrés dans le présent.

J'ai eu la chance de vivre mes premières expériences paranormales très jeune et lorsque je me suis mis à ressentir la présence d'esprits vers 20 ans, puis, plus tard, en habitant dans une maison hantée, je l'ai simplement accepté sans éprouver de peur.

Ma maison « hantée » n'était pas le genre de ruine associée aux apparitions et autres bruits de chaînes, mais un pavillon moderne ordinaire et le fantôme n'était pas un esprit vengeur, juste l'ancien propriétaire qui, sans doute, avait envie de retrouver son domicile. Ni ma femme, ni moi ne l'avons vu pendant les dix années où nous y avons vécu. Pourtant, nous avons senti sa présence à de nombreuses reprises, toujours dans l'ancien garage qui lui servait d'atelier et que nous avions reconverti en bureau. Elle était si palpable que ma femme levait fréquemment les yeux de son travail, s'attendant à me voir entrer dans la pièce. Ces incidents laissent supposer que les morts existent dans un état similaire au sommeil et que leurs visites résultent simplement d'une attirance pour un lieu leur rappelant leur vie. Cela expliquerait pourquoi la plupart des fantômes ne prêtent pas attention aux vivants, se contentant de flotter dans un état proche du somnambulisme.

L'AUTEUR FANTÔME

Il ne s'agit pas du seul fantôme dont j'ai constaté la présence. J'en ai senti d'autres à de multiples occasions et presque toujours lorsque j'écris sur l'ésotérisme, ce qui suggère que ce thème ou mon état d'esprit les attire comme une flamme dans l'obscurité. En fait, ce n'est pas qu'une simple impression. J'ai souvent ressenti une caresse sur ma joue et le frôlement d'une main désincarnée sur ma tête comme celle d'un parent ou d'un guide voulant confirmer qu'il approuvait ce que j'écrivais. Parfois, j'ai même été secoué, par jeu peut-être ou pour condamner un élément de mon texte, mais je trouve cela rassurant. Je n'ai pas peur des fantômes, croyant au vieux dicton « qui se ressemble, s'assemble » et mon expérience en tant que professeur en développement psychique et méditation semble le confirmer.

Bien sûr, mes visiteurs invisibles ne sont peut-être pas des fantômes, mais des guides ou des anges gardiens et je ne crois pas que le nom que nous donnons aux entités désincarnées est important. Sentir leur présence suffit à signifier qu'il existe une réalité au-delà du monde physique, une croyance qui paraît confirmée par les innombrables expériences de mort imminente rapportées par des personnes de confessions et de milieux différents, dans le monde entier, de l'Antiquité à nos jours. J'ai personnellement vécu plusieurs voyages astraux dès l'enfance, une expérience que je trouve libératrice et jubilatoire, qui a stimulé mon intérêt pour les phénomènes paranormaux. Pour moi, du moins,

Mon état d'esprit les attire comme une flamme dans l'obscurité.

les fantômes ne doivent pas inspirer la peur. Ce sont des anomalies fascinantes.

D'autres ont eu moins de chance, comme en témoignent les histoires dans cet ouvrage, mais d'après ce que j'ai compris, les esprits ont en gros le même caractère qu'au cours de leur vie. J'attribue donc les expériences déplaisantes ou troublantes à des rencontres avec des personnalités malfaisantes qui ne veulent pas partager leurs biens ou leur espace personnel avec les vivants. Cependant, il y a une catégorie de fantômes plus dangereuse : la personnalité dépendante ou psychotique qui cherche à satisfaire ses besoins par procuration en s'attachant comme un parasite à un individu qui lui ressemble, avec lequel elle a des affinités. Tout type d'accoutumance peut l'attirer : drogue, alcool, violence, cupidité ou désirs excessifs, voire une obsession pour des activités dangereuses. Mais je crois que tous ces esprits malveillants sont humains. Malgré certaines « preuves » anecdotiques, je n'accepte pas l'existence de fantômes maléfiques ou de démons. J'ai inclus le chapitre sur les exorcistes modernes pour admettre à quel point nous projetons nos peurs sur des entités mythiques ou imaginaires dans l'espoir vain d'expliquer ce qu'on ne peut pas comprendre. En leur donnant un pouvoir sur nous, nous étouffons notre développement et notre compréhension d'une réalité plus grande dont nous faisons partie.

Dans ce cas, il ne s'agit pas d'ignorance béate, mais d'un recul vers les brumes et les superstitions du Moyen Âge. Comme l'ont montré les scientifiques les plus ouverts et certains parapsychologues sérieux, de nombreux exemples de poltergeists sont en fait des perturbations cinétiques générées inconsciemment par des adolescents en prise avec les conflits d'émotions de la puberté, et, d'une façon similaire, on peut diagnostiquer des troubles psychologiques chez beaucoup des victimes supposées de possession. Attribuer ces problèmes à l'œuvre de démons et soumettre ces individus impressionnables à ce qui est proche de la violence physique est pour le moins répréhensible. Cependant, après avoir lu les preuves, vous pourrez ne pas être de cet avis.

Quand les objets se mettent à voltiger sans raison,
il peut s'agir de l'œuvre d'un poltergeist.

Mon expérience personnelle m'a fourni des preuves suffisantes sur l'existence de l'âme et sa survie après la mort, mais ni moi, ni tout individu partageant mes convictions ne pouvons faire de déclarations définitives sur une quelconque forme de phénomène. Chaque expérience ne révèle qu'une pièce du puzzle, un coup d'œil furtif dans une réalité plus grande qu'il nous est impossible de comprendre avec les capacités limitées de notre cerveau. Nous devons aussi être bien conscients qu'en tant qu'humains, nous avons la fâcheuse tendance à tirer des conclusions hâtives lorsque nous croyons qu'ainsi, nous allons confirmer nos croyances et préjugés. Sur ce point, je plaide coupable et soumets l'histoire suivante pour illustrer à quel point nous pouvons nous tromper.

LE FANTÔME QUI N'ÉTAIT PAS LÀ

Récemment, j'ai emménagé avec ma famille dans une nouvelle maison. Peu après, nous avons été réveillés à 3 heures du matin par ce qui ressemblait à la chute d'une bibliothèque ou d'un autre gros meuble. Je suis sorti de mon lit et j'ai inspecté la maison de haut en bas sans rien remarquer de fâcheux. La même chose s'est reproduite la nuit suivante. Et celle d'après.

À chaque fois, j'étais réveillé en sursaut. Persuadé qu'il s'agissait d'un fantôme, j'envisageais sérieusement de procéder à un rituel de « purification » lorsque j'ai découvert la source du problème.

La quatrième nuit, je me suis réveillé un peu avant 3 heures du matin et je suis allé aux toilettes du deuxième étage qui donnent sur la rue. Alors que je me tenais près de la fenêtre, j'ai entendu des pas et un bruit très reconnaissable qui m'avait semblé amplifié dans mon sommeil. C'était celui d'un paquet de journaux tombant par l'ouverture de la boîte aux lettres ! Je n'aurais jamais pensé à une telle explication. Qui aurait pu imaginer qu'un vieil insomniaque décide de livrer les journaux à 3 heures du matin et que le bruit soit décuplé dans une maison vide au point de donner l'impression qu'il s'agissait d'une chute de meubles ?

Comme je l'ai dit, nous sommes tous la proie de suggestions, en particulier quand elles confirment nos croyances ou nos préjugés.

Un scientifique désireux de protéger son nom et sa réputation se méfiera d'affirmer quoi que ce soit sur un phénomène de crainte d'avoir tort lorsque des faits supplémentaires seront mis en lumière, ce qui peut s'appliquer au paranormal puisqu'il est impossible de mesurer ou quantifier les aspects d'un monde qu'on ne voit pas. Pour paraphraser Shakespeare, nous pouvons simplement affirmer qu'il y a plus de choses dans le ciel et sur terre que nous l'imaginons. Qu'elles soient amicales ou non, à vous de décider après avoir lu ce livre.

« Cinq mille ans se sont désormais écoulés depuis la création du monde et l'on ne sait toujours pas si l'esprit d'une personne est apparu après sa mort. La science dit non, mais la croyance populaire dit oui. »
Samuel Johnson, *La Vie de Samuel Johnson*

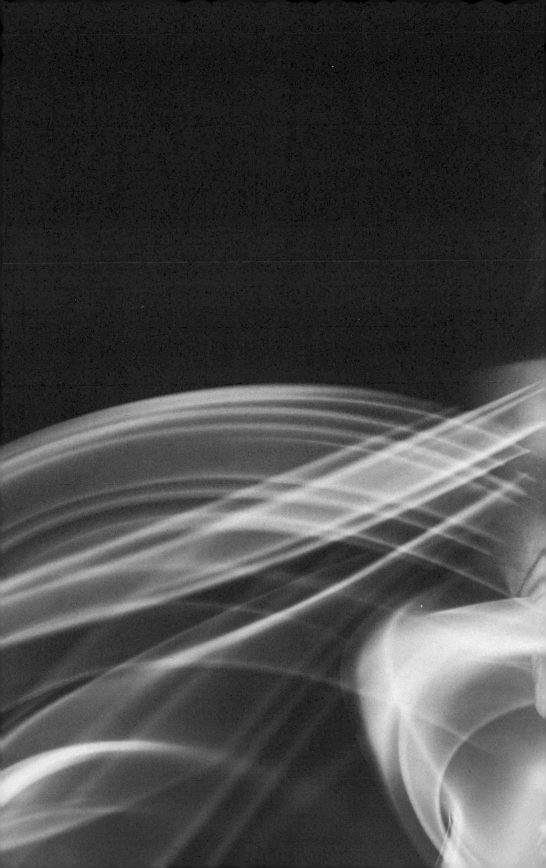

CHAPITRE 1

QU'EST-CE QU'UN FANTÔME ?

Les fantômes ne sont pas un phénomène paranormal, mais purement naturel. Il est en général accepté qu'il s'agit d'âmes coincées sur Terre ou d'énergie résiduelle qui demeure dans un lieu significatif à la vie ou au moment de la mort d'un individu. Notre peur naît de nos vaines tentatives de nier l'existence de ces apparitions et le pouvoir qu'elles pourraient exercer sur les vivants.

« Si nous pouvions prendre un homme bien matériel et dissoudre ses éléments constitutifs physiques sans interférer avec les données sensorielles par lesquelles nous le percevons, nous obtiendrions, exactement, une apparition. »
G.N.M. Tyrrell, *Apparitions et Fantômes,* 1953

Jeff Danelek, parapsychologue installé au Colorado, est devenu une sorte de gourou de la chasse aux fantômes après avoir présenté un argument irréfutable en faveur de l'existence des esprits dans

Les vivants ont tendance à rester bloqués dans des circonstances indésirables (stress, jalousie, matérialisme, toxicomanie, dépression).

son étude influente, *The Case For Ghosts* (Llewellyn, 2006). En lieu et place des histoires sensationnalistes de poltergeists et de phénomènes paranormaux habituels, Jeff approche le sujet d'une façon objective et terre-à-terre qui lui a valu le respect de ses confrères et de la communauté scientifique.

RÉGLER CERTAINES CHOSES

Au cours de la rédaction de ce livre, je lui ai demandé de partager ses théories avec moi et d'expliquer comment il arrivait à ces conclusions stimulantes.

« J'ai remarqué que la plupart des histoires – en particulier celles de communications interactives entre esprits et humains – sont presque invariablement

centrées autour de thèmes similaires, c'est-à-dire un attachement exagéré à un lieu ou une personne ou une peur ou une incertitude à l'idée d'aller de l'avant. Très peu de fantômes semblaient particulièrement heureux ou indifférents à leur état, ce qui me pousse à me demander si certaines mentalités ne les rattachent pas effectivement au monde, alors qu'ils devraient passer au bonheur du royaume céleste. Remarquant que les vivants ont aussi tendance à rester bloqués dans des circonstances indésirables (stress, jalousie, matérialisme, toxicomanie, dépression) souvent parce qu'ils ne souhaitent pas admettre – et encore moins changer – leur comportement, je me suis juste demandé ce qui arriverait à ces gens quand ils mourraient. Ainsi, mon approche de la psychologie du fantôme est largement fondée sur ce que je comprends de l'humain en général. Je l'ai juste poussée un peu plus loin et tenté de visualiser comment le matérialisme, l'entêtement et la colère (entre autres) peuvent avoir un impact sur l'énergie désincarnée d'un défunt. Ce n'est pas si difficile à faire, surtout si l'on considère qu'un fantôme (que je définis exclusivement comme l'énergie désincarnée consciente d'un être passé de vie à trépas) reste humain et, ainsi, tout aussi enclin à prendre les mêmes mauvaises décisions et conserver ses attitudes contre-productives. Voilà pourquoi je crois qu'ils sont devenus des fantômes et qu'être une âme retenue sur Terre est une telle épreuve. »

Jeff a défini plusieurs catégories de fantômes qui selon lui correspondent à des types de personnalités reconnaissables.

CATÉGORIES DE FANTÔMES

« La première chose à comprendre chez un fantôme est qu'en matière d'êtres humains, la mort elle-même ne peut rien changer. Je pense que lorsqu'un individu décède, il passe dans l'autre monde avec ses traits de caractère, manies, préjugés et une vie de sagesse – et d'absurdités – inchangés. Sur cette base, il n'est pas difficile d'imaginer que certains vont choisir de devenir un fantôme ou peuvent se retrouver piégés dans le monde physique par leurs défauts. On peut donc supposer que les raisons de devenir un fantôme sont aussi nombreuses et diverses qu'il y a de types de personnalités. »

À moins de mourir dans son sommeil ou d'être en état d'ébriété au point de ne pas comprendre ce qui se passe, j'imagine qu'on ne peut que remarquer sa propre mort.

LE FANTÔME QUI S'IGNORE

« De nombreux enquêteurs du paranormal pensent que certaines entités restent dans le monde physique parce qu'elles ignorent qu'elles sont mortes. Elles vivent donc comme elles le faisaient auparavant, inconscientes de ne plus appartenir à cette dimension et continuent jusqu'à ce qu'un traumatisme brutal ou qu'une réalisation les force à se souvenir de leur mort. Cette idée a été popularisée par d'excellents films comme Le Sixième Sens *et* Les Autres *et fait partie des croyances répandues au*

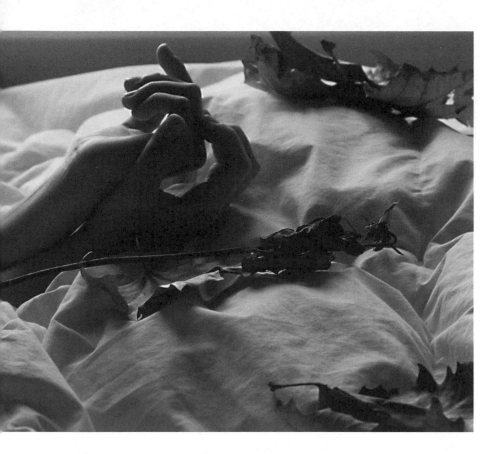

sujet des fantômes (une perception qu'Hollywood a beaucoup contribué à renforcer).

Cependant, je trouve très peu vraisemblable que les fantômes ignorent qu'ils sont morts. Les récits d'expériences de mort imminente (EMI) insistent toujours sur le fait que même en cas de décès soudain, l'âme se détache invariablement du corps et flotte à proximité, consciente de ce qui l'entoure et de ne plus être liée à son enveloppe physique. Si ces histoires dépeignent précisément ce que la psyché éprouve au moment de la mort, il semble qu'ignorer ce fait est aussi difficile que de ne pas constater la perte d'un membre. Certaines choses sont, apparemment, un peu trop évidentes pour passer inaperçues. À moins de mourir dans son sommeil ou d'être en état d'ébriété au point de ne pas comprendre ce qui se passe, j'imagine qu'on ne peut que remarquer sa propre mort, en particulier lorsqu'on commence à rencontrer des proches disparus et, peut-être, des figures religieuses. Aussi, je doute fortement qu'un esprit pourrait être en état d'ignorance – et le rester – longtemps. Cela ne tient pas debout d'un point de vue logique. »

Jeff explique d'une façon originale le nombre disproportionné d'esprits d'enfants qui a été rapporté.

« Il est possible que les enfants ou les handicapés mentaux n'identifient pas la réalité de la situation et restent attachés au monde physique après leur décès. Les fantômes d'enfants sont de fréquents sujets d'apparitions et il est donc possible qu'étant incapables de comprendre la mort en termes pratiques, ils soient trop désorientés pour passer de l'autre côté. La mort est, après tout, considérée comme un sujet 'adulte' dont on parle rarement aux plus jeunes. Ainsi, certains ne comprennent pas vraiment ce qui leur arrive et restent emprisonnés dans une sorte 'd'état de sommeil', jusqu'à ce qu'ils réalisent ou soient sauvés par d'autres entités spirituelles dont le rôle consiste à guider ces âmes innocentes. »

LE FANTÔME DANS LE DÉNI

« Comme certains individus accordent une grande importance au déni dans leur vie, il est naturel d'imaginer qu'il sera partie intégrante de leur existence après la mort et que ces personnalités refuseront simplement d'accepter leur décès. Ce sont eux qui vont rester sur Terre le plus longtemps, car la fierté humaine peut être aussi puissante et débilitante d'un côté comme de l'autre de l'éternité, ce qui les rend difficiles à convaincre d'abandonner leur petit jeu. »

LE FANTÔME ATTACHÉ

« Ce type de fantôme est si fortement attaché aux biens de ce monde qu'il refuse de les abandonner. Il s'agit souvent d'un domicile ou d'un *lieu qu'il a aimé. Il reste donc là, planant aux frontières de la perception humaine, mais rarement capable d'interagir de façon significative.*

Leur lien aux biens de ce monde est si grand que ces âmes demeurent souvent pendant des années, voire des décennies. Ils ont tendance à se montrer possessifs et insistent pour que les nouveaux propriétaires quittent leur maison ou tentent d'interférer dans les vies de ceux qu'ils ont quittés. Une sur-identification avec une profession peut produire le même effet – les fantômes de bibliothécaires ou de gardiens d'école sont de bons exemples – et les couples âgés ou les ermites qui se sont isolés du monde extérieur courent ce risque en particulier. »

La mort est, après tout, considérée comme un sujet « adulte » dont on parle rarement aux enfants.

Il continue à errer dans le monde physique comme en état de choc.

LE FANTÔME JALOUX

« *Bien que très rares, il existe des récits d'entités qui ne s'attachent pas aux choses, mais aux gens et interviennent dans des relations, pour des questions de possessivité ou de jalousie pure. Il peut s'agir d'un conjoint étouffant qui n'accepte pas l'idée du remariage de son partenaire ou d'un amoureux éconduit qui s'est suicidé avant de revenir auprès de celui ou celle qui l'avait repoussé. Seulement actif auprès de l'objet de leur jalousie et en présence du nouvel amour de celui-ci, le fantôme possessif peut être le plus tenace et le plus terrifiant de tous.* »

LE FANTÔME PEUREUX

« *En raison de conditionnement culturel ou religieux, certains ont trop peur de savoir ce que le sort leur réserve et préfèrent l'existence banale d'un fantôme aux éventuels châtiments du Jugement dernier. Souvent,* il s'agit d'individus qui ont fait un mal considérable – ou se l'imaginent – aux autres et redoutent de devoir en rendre compte et être punis. Pour eux, rester dans la relative sécurité du monde physique est le seul moyen d'échapper à ce jugement et aux châtiments qu'ils estiment mériter et ils s'y accrochent comme un enfant apeuré reste dans les jupes de sa mère le jour de la rentrée des classes.

Les criminels ne sont pas seuls à se trouver dans cet état : des gens ordinaires qui ont reçu une éducation religieuse oppressante depuis l'enfance et estiment ne pas l'avoir respectée peuvent devenir des fantômes peureux, surtout s'ils pensent avoir causé la colère de Dieu et n'ont pas eu l'occasion de 'se repentir' ou d'être absous par un prêtre avant de mourir. La peur est une émotion presque aussi forte que l'amour et peut maintenir sur Terre comme le déni ou la jalousie et faire de nous notre pire ennemi, capable de nous torturer mieux que n'importe quel adversaire ou divinité. »

LE FANTÔME TRISTE OU MÉLANCOLIQUE

« Sans doute l'entité la plus déprimante de toutes, le fantôme 'triste' a été si accablé par la tragédie qu'il continue à errer dans le monde physique comme en état de choc.

Les suicidés finissent souvent en fantômes 'tristes', car les facteurs qui les ont poussés à mettre fin à leurs jours les gardent liés à ce monde qu'ils ont voulu à tout prix quitter. Ils font donc partie des plus difficiles à 'sauver', puisqu'ils sont trop absorbés par leur douleur pour reconnaître leur besoin de salut, ni même s'en soucier. Ce sont les âmes les plus égarées de toutes qui nécessitent des interventions significatives de la part des vivants et d'autres identités spirituelles pour les tirer vers la lumière. »

LE FANTÔME À MISSION

« Ce type de fantôme reste pour régler des affaires que sa mort a brutalement interrompues. Cette 'mission' peut être aussi simple que de révéler l'emplacement d'un testament caché ou complexe comme d'essayer d'obtenir justice pour leur propre meurtre, mais dans tous ces cas, ces *esprits veulent atteindre leur but et ne se reposeront pas avant d'y être parvenus. »*

LE FANTÔME D'ADIEU OU DE RÉCONFORT

« Le fantôme d'adieu est une manifestation qui apparaît – souvent une seule fois – pour dire au revoir à un être cher éprouvé par sa disparition ou assurer qu'il va bien et a réussi son passage de l'autre côté. Il peut se manifester par un phénomène électrique ou de façon spectaculaire, par une manifestation corporelle. Les récits de veuves voyant leurs maris disparus assis au pied de leur lit ou d'enfants décédés se manifestant auprès de leurs frères ou sœurs sont courants. On a même rapporté des apparitions d'animaux récemment morts. Un chagrin excessif peut expliquer certains cas, mais pas la totalité. »

LE FANTÔME CURIEUX

« J'imagine que les personnalités, qui, dans la vie, faisaient preuve de curiosité à propos de l'au-delà ou avaient des aptitudes scientifiques ne pourraient pas passer à côté de l'occasion de manipuler la matière et l'énergie une fois de l'autre côté. Je soupçonne qu'elles sont cependant assez rares et souvent frustrées dans leurs efforts de se faire comprendre de nous 'pauvres mortels' et je me demande si elles ne se lassent pas vite de ce jeu pour aller explorer d'autres domaines de l'esprit. »

LE FANTÔME MALICIEUX

« Le fantôme malicieux ou 'joueur' est similaire à l'esprit curieux, mais d'une nature un peu plus menaçante.

Il ne s'intéresse pas autant que le fantôme curieux à prouver la réalité du monde surnaturel, préférant effrayer les vivants. On dirait que les apparitions sont une grande source d'amusement pour lui et il va consacrer toute l'énergie nécessaire à poursuivre son manège le plus longtemps

possible. Ces fantômes sont immatures et infantiles (comme les personna-
lités qui se cachent derrière eux) et comparables au farceur qui pense que
tout ce qu'il fait est hilarant et ne comprend pas ceux qui ne sont pas de
cet avis.

Ces manifestations peuvent être aussi innocentes que de déplacer des
meubles, cacher des bijoux ou tirer les draps du lit, voire aller jusqu'à
l'agression physique ! Ces fantômes veulent déranger et font de gros efforts
pour rendre la vie impossible aux autres.

Ils sont aussi à l'origine de certaines activités du type poltergeist. Une
adolescente nerveuse peut être le parfait intermédiaire d'une entité mali-
cieuse qui veut se manifester. »

LE FANTÔME EN COLÈRE

« Certains sont prêts à subir d'énormes souffrances et de pertes person-
nelles dans leur quête de revanche et il n'est pas difficile d'imaginer une
personnalité en colère disposée à endurer l'enfer de l'errance terrestre dans
l'espoir de se venger.

Heureusement, ces entités sont assez rares, mais offrent tout de même
le plus grand des défis au chasseur de fantômes. La colère est une force
destructrice qui devient de plus en plus puissante avec le temps et ne peut
être dissipée que par le pouvoir de l'amour et de la compassion. »

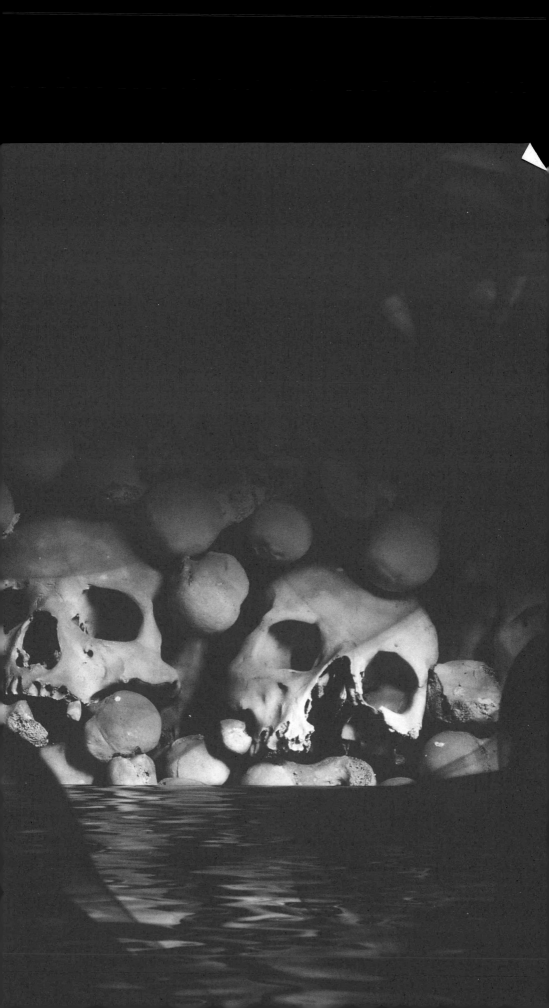

Avec ses ruelles étroites et sinueuses, ses pavés et ses anciens bâtiments imposants, la vieille ville ressemble au décor d'un film d'horreur de la Hammer.

CHAPITRE 2

LA CITÉ DES MORTS

Toutes les villes du monde ont leurs fantômes, mais aucune ne mérite mieux sa réputation de capitale de l'étrange qu'Édimbourg. Avec ses ruelles étroites et sinueuses, ses pavés et ses anciens bâtiments imposants, la vieille ville ressemble au décor d'un film d'horreur de la Hammer. Il ne manque plus qu'un manteau de brouillard pour imaginer ses habitants les moins recommandables arpenter les rues.

Certaines villes ont leurs serial killers, mais Édimbourg peut s'enorgueillir d'une galerie entière de criminels qui déborderait largement de la chambre des horreurs du musée de cire de Madame Tussaud.

Bien avant qu'Hannibal Lecter mette au menu les tueurs cannibales, Sawney Bean, véritable mangeur de chair humaine, vivait à Édimbourg. Il y a eu également les voleurs de cadavres Burke et Hare, le docteur Neil Cream, le tueur de femmes qui louchait et le génie criminel Deacon Brodie qui a inspiré *Dr. Jekyll et Mr. Hyde* à Robert Louis Stevenson. D'ailleurs, plusieurs de ces personnages ont servi de modèles à des héros immortels de romans comme Sherlock

Holmes et son ennemi, le professeur Moriarty. Conan Doyle a étudié la médecine à l'université d'Édimbourg et basé son détective sur son enseignant et mentor, le docteur Joseph Bell. Charles Dickens n'a fait qu'un bref séjour dans la ville, mais en est revenu avec, en germe, la plus célèbre histoire de fantômes jamais écrite, *Un conte de Noël*. Et n'oublions pas que son héritière spirituelle, J.K. Rowling, a créé le petit sorcier Harry Potter dans un café surplombant le cimetière de Greyfriars.

Mais si vous préférez l'histoire, « la vraie », il faut aller dans le plus vieux site hanté d'Édimbourg qui se trouve juste hors de la ville. Comme le savent tous ceux qui ont lu le *Da Vinci Code* ou vu le film fondé sur le best-seller de Dan Brown, la chapelle du 15e siècle à Roslin est le centre d'une prétendue conspiration concernant le véritable destin de Jésus de Nazareth et ses supposés descendants, dont les preuves seraient cachées dans des caveaux scellés sous l'édifice. Le battage entourant le livre a attiré des milliers de touristes venus du monde entier qui n'auraient sans doute pas voulu s'attarder s'ils avaient su que la chapelle est hantée par un ordre de moines augustins. Judith Fiskin, une ancienne archiviste et conservatrice de Roslin, affirme avoir vu un moine fantôme lorsqu'elle était là pendant les années 1980 et partagé l'expérience avec plusieurs témoins fiables. Mais les frères ne sont pas les seuls esprits errants. Le site serait aussi hanté par celui d'un apprenti maçon tué par son maître qu'il aurait éclipsé en sculptant ce qu'on a surnommé le pilier de l'apprenti.

On a aussi vu des esprits d'animaux quand les conditions s'y prêtaient. Selon la légende locale, on peut apercevoir et entendre celui d'un chien de meute assassiné qui erre autour du château de Roslin. Ce chien aurait été tué cruellement près de son maître anglais lors de la bataille de Roslin en 1303 pendant laquelle les Écossais ont mis en déroute une armée britannique de 30 000 hommes. Il y a même une « dame blanche » locale identifiée comme étant Lady Bothwell, expulsée de la demeure de ses ancêtres par l'impitoyable Régent Moray à la fin du 16e siècle. Vraisemblablement, elle revient chercher en vain son bourreau pour lui arracher le cœur.

La chapelle de Roslin est au centre de l'intrigue du *Da Vinci Code*.

D'AUTRES SITES OÙ FRISSONNER
À ÉDIMBOURG

LE SIÈGE D'ARTHUR

C'est sur ce site qu'en 1720, Nicol Muschat a été pendu pour avoir assassiné sa femme. C'est là également qu'ont été enterrées les victimes de l'épidémie de peste de la ville. Salisbury Crags, à proximité, fut à une époque le lieu où de nombreux candidats au suicide sautaient dans le vide. Certains sont morts accidentellement sur ce sommet précaire et beaucoup d'autres y ont été victimes de crimes.

En 1836, des enfants ont fait une curieuse découverte en jouant au Siège d'Arthur : 17 cercueils miniatures contenant chacun une poupée. Était-ce un monument funéraire pour des victimes de crimes inconnus ? Ou un rituel satanique ?

BARONY STREET

Les sorcières Howff, une assemblée locale d'adeptes de la magie, ont été brûlées vives dans une maison de cette rue au 17e siècle, 13 parmi les 300 femmes environ qui ont subi le même sort pour avoir pratiqué cette « vieille religion » à Édimbourg à l'époque.

PICARDY PLACE, EN HAUT DE LEITH WALK

Lieu de naissance de Sir Arthur Conan Doyle et ancien site des exécutions capitales.

HAZELDEAN TERRACE

En 1957, Édimbourg pouvait se vanter d'être le site de deux poltergeists qui ont fait les gros titres. D'après les témoignages, celui de Rothesay Place était particulièrement fort, mais fut éclipsé par l'esprit frappeur d'Hazeldean qui envoyait souvent une planche à découper en bois et d'autres ustensiles de cuisine à la tête des habitants alarmés. Plus résistants que leurs cousins anglais, les résidents d'Hazeldean Terrace ont bravé les attaques et l'activité a fini par cesser.

Salisbury Crags

EDINBURGH PLAYHOUSE, GREENSIDE PLACE

Comme tous les vieux théâtres, la Playhouse affirme avoir un employé désincarné qui fait ses inspections dans la nuit. Dans le cas présent, c'est un vieux monsieur en blouse grise que le personnel appelle affectueusement « Albert ». On pense qu'il s'agit d'un machiniste mort dans un accident ou d'un veilleur de nuit suicidé. Il aurait pu être également une victime de la justice expéditive d'Édimbourg, puisque Greenside Place a accueilli la potence pendant une période.

ROYAL LYCEUM THEATRE, LOTHIAN ROAD

On raconte que l'actrice Ellen Terry hante la scène sur laquelle elle a fait ses débuts en 1856.

GILLESPIE CRESCENT, BRUNTSFIELD

La Wrychtishousis, une célèbre maison hantée, se dressait là. Au 18e siècle, une femme sans tête, supposée être l'épouse de James Clerk, mort en la laissant avec son bébé à la merci de son frère criminel, y faisait des visites régulières. À la disparition de James, le frère l'avait assassinée pour hériter de la maison, mais la malle qu'il avait achetée était trop petite et il dut lui couper la tête pour y cacher le cadavre. Puis il enfouit le tout à la cave. Encore une vieille légende morbide ? Non. Son corps décapité et celui de son bébé, ainsi que la confession du meurtrier, ont été déterrés par des ouvriers quand la maison a été démolie.

BALCARRES STREET, MORNINGSIDE

On raconte que la dame verte de Balcarres Street serait l'âme errante d'Elizabeth Pittendale, la femme de Sir Thomas Elphinstone, propriétaire terrien du 18e siècle. Il l'aurait surprise dans une position compromettante avec le fils qu'il avait eu d'un premier mariage et poignardée avant de se suicider, laissant le domaine à son héritier.

GILMERTON GRANGE

Un mélodrame similaire s'est produit au 14e siècle là où cette ferme du même nom se dresse à présent. Le propriétaire terrien Sir John Herring avait interdit à sa fille Margaret de retrouver son amoureux ici et elle le défia. Dans une bouffée de rage, Sir John mit le feu au bâtiment avec sa fille à l'intérieur. Évidemment, elle ne lui a toujours pas pardonné et son âme erre à cet endroit depuis plusieurs centaines d'années.

EDINBURGH FESTIVAL THEATRE, NICOLSON STREET

L'Empire Palace Theatre où l'illusionniste Sigmund Neuberger (alias le « Great Lafayette ») a été brûlé vif en 1911 quand un incendie a éclaté pendant son numéro se trouvait là. Neuf machinistes et la doublure de Neuberger ont aussi péri dans le brasier.

Gilmerton Grange : Le propriétaire terrien Sir John Herring avait interdit à sa fille Margaret de retrouver son amoureux et elle le défia, provoquant d'horribles conséquences.

LA BOURSE AUX GRAINS, BALTIC STREET

Encore un lieu sinistre, puisque plusieurs enfants ont été tués ici au 19e siècle. L'assassin était un ancien patron de bar qui s'est pendu avant que ses voisins le lynchent. Il paraît qu'on peut entendre ses victimes pleurer dans la nuit. Les producteurs de la série américaine *Understanding the Paranormal* ont affirmé qu'ils avaient filmé le coupable.

THE DOVECOT, DOVECOT ROAD, CORSTORPHINE

La dame blanche de Corstorphine hante ce lieu et on peut la voir brandissant une épée, celle avec laquelle elle avait empalé son amant aviné. Elle fut décapitée en 1679 après une tentative d'évasion ratée.

CHÂTEAU DE CRAIGCROOK, COLLINE DE CORSTORPHINE

Tous les châteaux ont leur fantôme et celui de Craigcrook ne fait pas exception. Son célèbre propriétaire, l'auteur et procureur de la république Lord Francis Jeffrey, y a poussé son dernier soupir en 1850. Sa présence serait à l'origine de courants d'air glacés, de bruits de pas fantomatiques et d'une sonnette qui retentit à l'occasion.

CAROLINE PARK HOUSE (OU ROYSTON HOUSE), GRANTON

On a vu la femme décédée d'un ancien propriétaire, Sir James Mackenzie, traverser sans bruit un mur à minuit et passer dans l'entrée avant de reparaître dans la cour au son incessant d'une vieille cloche. Les gens du cru la surnomment la « dame verte ».

CHÂTEAU DE BORTHWICK, GOREBRIDGE

Transformé en hôtel, sa chambre rouge est hantée par ce qui serait l'âme malveillante d'Anne Grant, une fille de paysan qu'on accuse de claquer les portes sur les doigts des hommes. La légende locale dit que son ancien employeur, Lord Borthwick, l'aurait déflorée avant de la tuer pour préserver son secret. Aucun exorcisme n'est parvenu à la déloger.

CHÂTEAU DE CRICHTON, MIDLOTHIAN

Cette fortification imposante est hantée par un cavalier qui traverse le mur du château. On pense qu'il s'agit de Sir William Crichton, chancelier d'Écosse au 15ᵉ siècle. C'est lui qui a organisé le « Black Dinner » au château d'Édimbourg auquel le comte de Douglas et son frère, deux enfants, furent conviés. Ils devaient dîner avec le tout jeune roi James III. Comme ils étaient prétendants au trône, ils furent assassinés en arrivant.

CHÂTEAU DE DALHOUSIE, LASSWADE

La « dame grise » arpente les couloirs froids de cette forteresse impressionnante. Il s'agirait de la maîtresse de l'un des propriétaires, attirée là par une épouse jalouse qui l'aurait emprisonnée et affamée.

CARRIÈRE DE MOUNT LOTHIAN, PENICUIK

Édimbourg a son cavalier fantôme et ce n'est pas une légende urbaine, puisqu'il trouve son origine dans l'histoire. À la fin du 19ᵉ siècle, un jeune ouvrier agricole emprunta le cheval de son maître sans permission pour rendre visite à sa petite amie. Dans la carrière, il trouva un homme écrasé sous un chariot retourné, mais au lieu de chercher du secours, il poursuivit sa route, sans doute pour ne pas être découvert. L'homme blessé mourut par la suite après avoir raconté l'incident à ses amis et décrit celui qui ne l'avait pas secouru. Jurant de se venger, ceux-ci auraient retrouvé et pendu le jeune homme qui désormais chevauche à ce même endroit, retenu là par sa mauvaise conscience.

LA CITÉ SOUTERRAINE

La zone autour du château d'Édimbourg connue sous le nom de cité souterraine focalise le plus gros de l'activité surnaturelle de la ville. Il s'agit plus exactement d'un labyrinthe de tunnels et de salles caverneuses creusés dans la roche sur laquelle sont construits le château et le Royal Mile. Le sol sous cette longue artère en pente est composé de grès meuble et son sommet dominait le reste de la ville à tel point qu'il pouvait être excavé latéralement. Quand Édimbourg a été particulièrement surpeuplé au début du 18ᵉ siècle, les pauvres ont creusé leurs habitations à même la roche et les autorités les ont laissés faire puisque cela soulageait les hospices. Il va sans dire que beaucoup sont morts dans des conditions intolérables de faim, de froid, de maladie et sous des éboulements réguliers. Leurs âmes seraient responsables des gémissements entendus par les commerçants assez courageux pour s'aventurer dans leurs réserves en sous-sol à la nuit tombée.

Le monde souterrain s'est considérablement agrandi à la fin du 18ᵉ siècle quand l'afflux de travailleurs irlandais mit la ville sous pression. Mais les ingénieurs écossais trouvèrent une solution ingénieuse. Ils bâtirent un réseau de ponts pour relier la corniche centrale aux collines environnantes, puis des maisons et des commerces tout autour pour cacher les structures. Les voûtes sous ces viaducs devaient servir de caves et d'entrepôts aux marchands

Cité souterraine : il y a bien longtemps, les pauvres y creusèrent leurs habitations lorsque la surpopulation atteignit des sommets dans la ville.

locaux, mais lorsqu'ils constatèrent qu'elles n'étaient pas étanches, ils déménagèrent, laissant la place aux immigrés. Les Irlandais se firent oublier jusqu'à ce que les réformateurs sociaux les expulsent quelques années plus tard et les entassent dans des petits logements qui se transformèrent en ghettos.

En 1845, le docteur George Bell, réformateur et médecin, visita Blackfriars Wynd, près du pont du Sud, afin de parler des conditions de vie des mendiants habitant là.

« Dans une sorte de grotte sous un gros logement réside un homme âgé, sa femme invalide et ses deux filles, dont une a un enfant naturel et l'autre est paralytique. Cet homme a un air respectable, bien que la famille n'ait aucun revenu visible. Il y avait trois lits sous cette voûte ; et en menant notre enquête, nous avons appris que la voûte en question est un logement, souvent occupé par de nombreux locataires. Cet homme appartient à ce type de classe qui gagne sa vie en sous-louant un logis misérable et sombre au plus grand nombre de personnes possibles. Dans une autre cave du Wynd, nous avons trouvé une très grosse Irlandaise, une veuve démunie avec six enfants. De son propre aveu, il lui arrive parfois de prendre un locataire. Cependant, en réalité, elle en loge deux ou trois toute l'année. »

C'est là, dans des endroits aussi sinistres que Mary King's Close, les voûtes du pont du Sud et le Black Mausoleum du cimetière de Greyfriars, que les apparitions les plus récentes et effrayantes ont eu lieu.

CENTRES NÉVRALGIQUES HANTÉS

Mary King's Close est de loin la zone hantée de la ville la plus connue et doit son nom à la fille d'un commerçant local prospère. Les légendes associées à ce lieu sont horribles et centrées sur les victimes de l'épidémie de peste de 1645 emprisonnées par les doyens de la cité. Leurs geôliers verrouillèrent les portes aux deux extrémités de ce passage pour éviter la contagion. Cette mesure draconienne sauva la ville, mais il n'y eut pas de survivants à Mary King's Close. Leurs cadavres en décomposition furent ensuite découpés et enterrés dans une zone connue sous le nom de The Meadows. Personne ne voulut vivre dans les environs ensuite, ni s'y rendre à la tombée de la nuit de crainte que les esprits des morts les attirent par les portes et les enferment à l'intérieur.

Sa réputation de centre névralgique d'apparitions n'a pas faibli à ce jour. Ainsi, en 1992, l'équipe de tournage d'un documentaire est venue avec un médium japonais, Aiko Gibo. En entrant dans l'une des maisons, elle a affirmé voir un fantôme dans un coin de la pièce où plusieurs parapsychologues avaient senti quelque chose des mois auparavant. Gibo a décrit une petite fille de dix ans portant une robe blanche sale et des bottes. Lorsqu'elle lui a demandé son prénom, la réponse a été « Annie ». Gibo a communiqué avec elle par télépathie et Annie a voulu savoir pourquoi sa mère l'avait abandonnée et où se trouvait sa poupée préférée. Gibo est revenue avec une nouvelle poupée et Annie a semblé réconfortée et plus ouverte. On aurait pu attribuer cela à l'imagination du médium si, peu après, une femme visitant le site et ignorant tout de l'émission hurla en entrant dans la pièce et affirma qu'une fillette au visage couvert de pustules se tenait dans un coin. Des recherches permirent d'apprendre qu'une femme appelée Jean Mackenzie et sa fille avaient été placées de force en quarantaine dans cette maison pendant l'épidémie. Il n'a pas été possible d'établir si l'enfant s'appelait Annie, mais c'était un nom répandu à l'époque. Après la diffusion du documentaire, le nombre de visiteurs du site a augmenté de façon spectaculaire et beaucoup d'entre eux laissent des poupées pour la petite apparition.

Parmi les autres résidents de l'ombre de Mary King's Close se trouve « l'homme inquiet » qui marche de long en large comme s'il ressassait une action qu'il prépare, à moins qu'il cherche quelque chose. Il arrive aussi qu'une femme en noir apparaisse au bout du passage avant de disparaître mystérieusement, comme un jeune garçon au même endroit. On a vu une silhouette masculine, sans doute un commerçant, suspendue en l'air sous la fenêtre de la « salle de la peste » à l'emplacement d'un ancien escalier et une femme d'âge moyen se matérialise en haut des marches donnant sur la rue. Toute personne courageuse au point de s'aventurer dans les maisons en ruine entend assez de bruits, de murmures et de fantômes tapageurs pour être convaincue que certains des anciens habitants n'ont pas envie de partir malgré la mauvaise réputation du lieu.

LA VOÛTE HANTÉE

Parmi les nombreuses histoires d'étranges rencontres sous les voûtes du pont du Sud, le cas de Marion Duffy et de sa fille de six ans, Claire, fait partie des plus glaçants.

Marion hésitait à l'idée de faire une visite guidée avec une si petite fille, mais Claire a affirmé qu'elle n'aurait pas peur. Même quand le groupe entra dans la pièce souterraine oppressante, elle continua à se montrer curieuse. Elle riait nerveusement et serrait la main de sa mère comme elle l'aurait fait dans un train fantôme de fête foraine. Mais lorsque le guide éteignit sa lampe torche pour rendre l'atmosphère encore plus effrayante, Marion regretta d'avoir emmené sa fille.

« Ne t'inquiète pas, Claire, dit-elle. C'est juste pour rire. » Elle sentit une petite main serrer la sienne en réponse. De plus en plus fort. Claire avait peur, c'était évident. Très peur, même. Marion s'aperçut qu'elle ne pouvait plus dégager sa main et commençait à avoir mal. Instinctivement, elle chercha à se dégager et donna un coup de pied, sans se soucier à cet instant de faire du mal à Claire, tant la douleur devenait insupportable. Mais il ne pouvait pas s'agir de Claire. Un enfant n'avait pas une telle poigne. Elle redonna un coup de pied et perdit l'équilibre, tombant sur la personne qui se tenait à côté d'elle dans l'obscurité. Celle-ci hurla qu'on l'attaquait et, en un instant, tout le monde se rua sur la sortie.

Quand le guide ralluma sa lampe, Marion se retrouva entourée d'inconnus qui la regardaient d'un air gêné. Claire n'était nulle part. Puis elle l'aperçut de l'autre côté de la voûte. Tremblant de peur et de soulagement, la fillette expliqua que lorsque la lumière s'était éteinte, une main avait pris la sienne et l'avait menée à l'autre extrémité de la salle. Elle savait qu'il ne s'agissait pas de sa mère, mais avait eu trop peur pour crier. Quand on lui demanda comment elle s'en était aperçue, elle répondit : « Parce qu'elle avait des griffes. »

Parmi les habitants de l'ombre de *Mary King's Close* se trouvent « l'homme inquiet » et une femme qui apparaît et disparaît à un bout de la rue.

« *Greyfriars est la zone la plus hantée de la ville la plus hantée du pays.* »

The Weekly News

Greyfriars est un site où le voile entre ce monde et l'au-delà est jugé si fragile que les âmes peuvent le traverser. Sa réputation vient sans doute du fait qu'on y trouve des charniers où des milliers de cadavres ont été entassés après l'épidémie de peste de 1568 et qu'on avait l'habitude d'exposer la tête des condamnés à mort sur les piliers du portail. Les Écossais avaient le sens du macabre.

Mille deux cents survivants du mouvement des Covenantaires (presbytériens écossais) furent emprisonnés sur ordre de Charles II après leur défaite à la bataille de Bothwell Brig et beaucoup moururent de faim ou de maladie. Les milliers d'autres furent exécutés par l'avocat du roi, le sanguinaire George Mackenzie. Il fut enterré à Greyfriars

Les survivants du mouvement des Covenantaires furent emprisonnés et la plupart ne revirent jamais la lumière du jour.

en 1691 non loin de la prison des Covenantaires et des tombes de ceux qu'il avait condamnés à mort. Cela a naturellement inspiré une série d'histoires macabres, dont une où son cercueil bougerait dans son tombeau surnommé le Black Mausoleum, tant il est tourmenté dans l'au-delà.

Mackenzie a eu de la compagnie à Noël 1879 lorsque la mairie a déterré des centaines de corps en décomposition du cimetière de St Giles et les a jetés sans cérémonie à Greyfriars. Les visiteurs qui montent sur la colline pour voir la ville ignorent qu'ils se tiennent en réalité sur une montagne de cadavres.

DES ÂMES MISES À L'ÉPREUVE

« … Les apparitions ne se produisent pas comme ça. Ce n'est pas un hasard si l'on se trouve là lorsqu'un fantôme passe. Une présence physique est nécessaire pour voir l'apparition, mais peut-être également la provoquer. »
Antony D. Hippisley Coxe, *Haunted Britain*, 1973

Avec tant d'apparitions, il était inévitable que tôt ou tard, les parapsychologues s'intéressent aux points névralgiques d'Édimbourg.

L'étude la plus sérieuse a été menée dans les voûtes sous South Niddry Street par l'équipe du docteur Richard Wiseman, qui a mesuré les champs magnétiques, la luminosité, la température et les mouvements de l'air. Les citoyens étaient invités à visiter ces salles pendant le déroulement de l'expérience et décrire leur ressenti.

Les perturbations habituelles furent dûment rapportées. Elles incluaient des odeurs étranges et l'impression d'être observé, mais l'équipe du docteur Wiseman les attribua à des changements imperceptibles des conditions atmosphériques.

« Ces prétendues manifestations de hantise ne sont pas la preuve d'activité 'fantomatique', mais résultent plutôt de gens qui réagissent – peut-être involontairement – à des facteurs 'normaux' de leur environnement. »
British Journal of Psychology, 2003

Ces explications banales ne peuvent pas cependant expliquer les réactions souvent violentes de visiteurs plongés dans l'atmosphère de la voûte hantée de Niddry Street ou le Black Mausoleum du cimetière de Greyfriars qui n'ont pas fait l'objet d'enquête scientifique, ce qui ressemble de plus en plus à une omission.

Ces modifications environnementales ne prennent pas en compte les traces physiques, les griffures, bleus et cheveux tirés rapportés par de nombreux touristes. Les récits suivants n'en sont qu'un petit échantillon.

DES TÉMOINS RACONTENT

« Nous n'étions pas depuis longtemps dans le Black Mausoleum quand nous avons entendu des bruits sous nos pieds qui se sont amplifiés et semblaient remonter le long des murs. Je me tenais au fond et j'ai senti la température chuter, même si la nuit était plutôt chaude. J'ai commencé à trembler alors que je portais plusieurs pulls et eu des fourmis dans les bras et les jambes. Je suis devenue glacée et je me souviens d'être revenue à moi étendue sur le sol. Mon ami aussi s'est évanoui. Le lendemain matin, en me réveillant, j'ai trouvé trois griffures profondes sur mon ventre : impossible que je me les sois faites en tombant, puisque je portais plusieurs épaisseurs. Mon ami Lewis avait aussi des traces sur les bras.

J'ai décidé de revenir avec un groupe d'amis différents. J'ai éprouvé les mêmes sensations : le froid, les fourmis dans les membres et les tremblements suivis par l'évanouissement et les griffures le lendemain matin. »

Camilla Davidson

« Lors de ma première visite, je me suis retrouvée dans une 'attaque de poltergeists en masse' où tout le groupe a entendu des bruits et une autre fille et moi avons perdu connaissance.

La fois suivante, j'ai à nouveau entendu des bruits et je me suis encore évanouie. J'ai senti quelque chose à mes côtés qui m'a touché la jambe. J'étais terrifiée et je pleurais, mais je ne pouvais pas ouvrir les yeux. »

Debbie Stephen

« Comme vous le savez sans doute, il y a eu plusieurs attaques et événements étranges lors de la visite guidée de 10 heures samedi dernier.

Deux hommes et une femme se sont évanouis et sont restés inconscients pendant une minute environ tandis que les autres entendaient des bruits bizarres.

Étant très sceptique, j'ai du mal à croire qu'il s'agissait d'acteurs. Si c'était le cas, ils étaient excellents. Pour être honnête, alors que j'étais au fond, j'ai senti quelque chose de glacé sur mes jambes. Je suis parti à ce moment-là… »

Jeroen Remmerswaal

« Vous pouvez ajouter cette expérience à vos archives. J'ai eu si peur que je crois bien que je suis partie sans dire un mot à vos collègues. J'avais fait la visite au mois d'août précédent et eu l'impression que des mains se posaient sur ma poitrine et me poussaient doucement dans la prison des Covenantaires, puis je me suis retrouvée au centre d'un endroit glacé dans le mausolée. Quand nous sommes entrés dans la prison, j'ai eu de nouveau la sensation qu'on me repoussait.

Brusquement, j'ai senti qu'on tirait sur le bracelet de ma montre. Je portais une veste qui le recouvrait et mon bras était autour de la taille de mon ami. Si quelqu'un avait voulu me faire une blague, il lui aurait été impossible de se glisser dans la manche de ma veste pour trouver le bout de mon bracelet sans que mon ami ou moi sente quelque chose.

Ensuite, nous sommes allés dans un bar où la chose la plus terrifiante s'est produite. Devant un bon verre de whisky, nous avons constaté que j'avais des griffures qui brûlaient comme des piqûres d'ortie sur les deux premières phalanges de mes mains. Mon ami me tenait la main et aurait senti si quelque chose m'avait griffé.

Je ne referai pas cette visite. Deux fois m'ont suffi, je pense qu'une troisième serait trop risquée ! »

Alix Cavanagh

« J'ai eu l'impression que la température baissait peu à peu, ce qui n'était pas étonnant à la mi-janvier. Mais une des touristes est sortie en courant en disant simplement qu'elle devait partir.

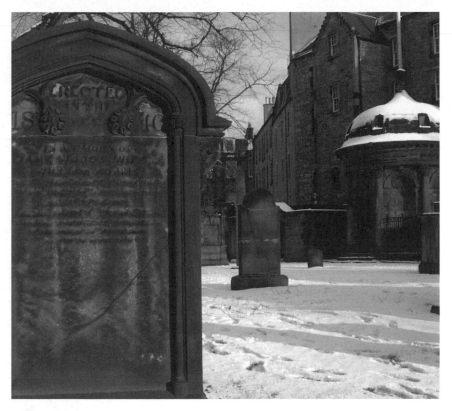

Le *Black Mausoleum* cache un sinistre personnage pendant la journée.

Après son départ, j'ai senti qu'on me tirait les cheveux. Il n'y avait personne derrière moi et je savais que les gens autour ne pouvaient pas le faire, puisqu'ils étaient trop loin. Le geste était insistant et répétitif. Quelques jours plus tard, j'ai éprouvé une sensation glaciale à l'arrière de ma tête et mes cheveux se sont mis à tomber sur une zone très concentrée, là où ils avaient été tirés. »

Louise Wright

« Je me suis retrouvée dans un courant d'air qui m'a donné le frisson. Une femme m'a prise par le bras et l'air glacé nous a frappés de plein fouet comme si le vent était devenu un être ou un mur. Elle a paniqué et est partie en courant.

J'ai remarqué que je chancelais et quand j'ai regardé autour de moi, c'était le cas de tout le monde… La femme derrière moi se balançait tellement qu'elle m'a attrapée pour ne pas s'évanouir. »

Jenny Bosson

« Au fond du Black Mausoleum, j'ai eu l'impression à plusieurs reprises que quelqu'un ou quelque chose me soufflait sur le visage. C'était troublant, d'autant que tout le monde était tourné dans la direction opposée ! »

Christine Hornsby

« Je suis resté planté sur place pendant toute la visite, c'est-à-dire que je ne pouvais pas bouger et je ne crois pas que c'était par peur, car quand j'ai tenté de remuer ma main, je n'ai pas pu. Je me souviens seulement d'avoir prié Dieu que rien ne me touche et je n'ai jamais été si terrifié de ma vie. »

Josh Blinco

« J'ai éprouvé un grand froid, des vertiges et des nausées. J'ai mis cela sur le compte de la nervosité. En rentrant à l'hôtel, j'ai remarqué une série de plaies profondes et douloureuses sur mon dos, mon ventre et ma poitrine. »

Kenny J. Gray

« J'ai distinctement senti la main d'un homme m'attraper le bras deux fois. Quelque chose est passé près de moi, m'a cogné au coude et a donné un coup dans le dos de ma sœur. Plus tard, quand elle s'est plainte d'avoir mal, nous avons découvert des traces de griffures. »

Debbie Reid

« Soudain, mon mari s'est écarté de moi. Alors que je tentais de l'attirer près de moi, il s'est raidi et mis à chanceler. Il m'a dit que quelque chose lui avait parcouru le dos. Quand nous sommes partis, il était visiblement éprouvé. »

Helen Davidson

« *Après quelques minutes dans le tombeau, j'ai entendu des grattements au fond de la salle. J'ai vu une fille regarder au même endroit que moi, comme si elle avait entendu ces bruits. De retour sur le Royal Mile, je l'ai revue et elle a décrit les mêmes endroits (au fond et en haut du tombeau) et sons (des grattements soutenus). Ça m'a terrorisée.* »

Sandy Hager, Edmonton, Canada

« *Sur deux photos que j'ai prises dans la prison de Covenantaires, on peut voir des 'sphères'. Cependant, une chose étrange s'est produite à notre retour à l'hôtel. Ma femme avait cinq ou six grosses éraflures dans le dos comme si elle avait été griffée. Elles étaient en forme de V. Le lendemain matin, elles avaient disparu.* »

Richard Torble

« *Je me suis mis brusquement à pleurer et j'étais submergée par un sentiment de tristesse. Plus nous approchions, plus ça empirait et je sanglotais au point de ne presque plus pouvoir respirer. Je n'ai jamais éprouvé un tel désespoir. Je n'avais jamais pleuré comme ça de ma vie et je ne veux pas recommencer.* »

Kathryn, Sheffield

« *Un de nos amis se tenait près de moi dans le Black Mausoleum et s'est mis à hyperventiler au bout de deux minutes. Il m'a dit qu'il avait vu un fantôme à l'intérieur. Il l'avait regardé bien en face. Il m'a décrit un homme aux yeux bleus portant une cape. Il m'a dit qu'il ne s'était jamais senti aussi triste et terrifié de sa vie. Il était glacé : la sensation de froid avait démarré dans ses pieds pour se propager à tout son corps.* »

Anonyme

« *J'allais bien en entrant dans la prison des Covenantaires, mais dans le Black Mausoleum, je me suis senti mal à l'aise. C'était comme si quelqu'un ou quelque chose me fixait. Quand je me suis retourné, j'ai vu ce que je ne peux décrire que comme une silhouette encapuchonnée avec un visage inexpressif, un peu plus petite que moi.* »

B. Johnson, Coventry

« J'étais dans la crypte et mes pieds se sont glacés avant de devenir complètement engourdis et qu'un frisson me parcoure les jambes. Je me suis mis à bouger d'un côté et de l'autre pour échapper à ce courant froid, mais il suivait mes mouvements. Quand je suis revenu pour prendre une photo, j'ai ressenti une brûlure sur mon cou. J'ai remarqué que mon copain était livide. Il a fini par me demander si j'avais senti quelque chose d'étrange et je le lui ai décrit. Il m'a dit qu'au moment où j'avais pris la photo, il avait vu un halo apparaissant autour de mon cou et mes épaules. Il a regardé ma nuque et remarqué qu'elle était rouge et griffée. »

Alan Smith

« Le lendemain de la visite guidée, ma petite amie a découvert une série de griffures sur sa poitrine. Elles étaient très rouges et fines. De mémoire, il y en avait trois au moins, peut-être plus. Elles étaient trop rapprochées pour être faites par une main humaine et auraient pu être causées par une petite patte de chat. Elles étaient longues d'environ 30 ou 40 centimètres. »

Alan Maxwell

« Quand je suis entré dans la 'prison', une femme à côté de moi a pris une photo. Au moment où le flash s'est déclenché, j'ai vu ce que je décrirais comme un fantôme. C'était une petite fille (de 8 ou 9 ans) et elle se tenait devant un arbre dans ce qui avait l'air d'une robe blanche ou en dentelles… J'ai espéré qu'elle apparaîtrait sur l'appareil numérique, mais naturellement, ça n'a pas été le cas. »

Dan Dickens

« Une des visiteuses a dit à l'un des membres de l'équipe qu'elle voyait 'une masse noire' au fond, dans le coin du Mausoleum. Le phénomène de voix électronique a montré une forte augmentation de l'activité dans cette zone précise. Lorsque la femme a dit qu'elle avait disparu, les relevés retournèrent à la normale. Une autre visiteuse a rapporté à un guide différent qu'on lui avait touché la nuque… Pourtant, il n'y avait personne derrière elle. Un troisième a dit qu'il avait ressenti un engourdissement dans ses pieds et des fourmis sur un côté du corps et un dernier *aurait vu des 'lumières bougeant rapidement' sur un mur. Sam dit aussi qu'elle a été griffée à l'intérieur de ses vêtements et non au travers !* »

Enquêteur paranormal anglais

« *Nous n'y remettrons jamais les pieds. Jamais.* »

William Jones

Certains visiteurs se sont plaints d'être saisis autour des chevilles par une bande métallique glaciale, comme si on leur plaçait les fers avant de les attacher au mur de la prison des Covenantaires. Des dizaines de personnes ont indiqué que leurs appareils photos ne fonctionnaient pas dans certains lieux et d'autres ont réussi à capturer des images de halos flottants et de formes lumineuses qu'ils ont envoyées à l'agence de voyage et à des magazines pour prouver ce qu'ils avançaient.

VISITES CHEZ LES FANTÔMES

Il y a actuellement six voyagistes qui proposent des visites guidées des lieux hantés de la ville et font leurs affaires. Évidemment, Édimbourg est une cité grouillant d'esprits et tous ne sont pas mis en bouteille. J'ai rencontré Jan-Andrew Henderson, l'auteur du livre le plus complet sur le sujet, *Edinburgh – City of the Dead*. Il est aussi le fondateur de l'agence Black Hart Tours.

Jan-Andrew a vécu en plein cœur de la ville hantée, dans une maison aux limites du cimetière de Greyfriars, et a développé une fascination pour l'histoire et l'atmosphère particulière de ce lieu. Agacé par le côté sensationnaliste des livres sur le sujet et frustré par l'absence de preuves crédibles, il décida de retrouver le plus de témoins possible et de recueillir les histoires des gens qui avaient effectué ses visites guidées et affirmaient avoir rencontré des fantômes.

Comment est née votre fascination pour l'histoire cachée d'Édimbourg, si je puis dire ?

Comme de nombreux habitants, je ne m'intéressais pas à l'histoire d'Édimbourg – ni à aucune autre – jusqu'à ce que je devienne guide. À ce moment-là, puisque je voulais bien faire mon travail, je me suis mis à chercher des informations peu connues et des anecdotes fascinantes sur le passé de la ville. Puis de l'Écosse. Désormais, je me passionne pour l'histoire en général, surtout si elle est plutôt obscure.

Quelle est la légende du Black Mausoleum et du poltergeist Mackenzie ?

J'organise une visite guidée à pied et la zone que nous couvrons n'est pas très grande. Nous restons surtout sur le Royal Mile. Ce fut le cœur d'Édimbourg pendant des milliers d'années et chaque centimètre carré a son histoire. Le Black Mausoleum et le poltergeist Mackenzie sont différents. Ce dernier n'est apparu qu'il y a sept ans environ, donc il n'a pas de légende. Les gens pensent qu'il est causé par le fantôme de George Mackenzie, mais il n'y a aucune preuve. Il doit son nom au fait que la première attaque a eu lieu sur les marches du tombeau de George Mackenzie. La plupart des suivantes se sont ensuite produites sur une tombe plutôt quelconque, désormais connue comme le Black Mausoleum.

Le Black Mausoleum semble différer d'autres sites hantés de la ville pour deux raisons. La première est la fréquence des manifestations du poltergeist. La seconde est la sévérité des incidents. Entre les premiers témoignages en 1999 et aujourd'hui, il y a eu plus de 350 « attaques » enregistrées dans le Black Mausoleum et la prison des Covenantaires. Dans 150 cas, la victime s'est évanouie.

Il y a eu des apparitions d'une silhouette blanche, des odeurs inexpliquées et des anomalies auditives, dont des coups sous le sol et dans la tombe elle-même. On retrouve des animaux morts mais intacts devant le Black Mausoleum. La zone a été exorcisée à deux reprises sans succès.

À Édimbourg, quand la nuit tombe, les fantômes sortent.

On a rapporté une activité poltergeist dans quatre maisons autour du cimetière et un incendie important a éclaté dans les résidences derrière la tombe de George Mackenzie en 2002.

Je ne sais pas ce qu'est en réalité le poltergeist Mackenzie, s'il s'agit d'une entité surnaturelle, un nuage de phéromones, un démon ou un ensemble de réactions psychosomatiques et hystériques. Tout a été suggéré. Je sais que c'est devenu l'affaire surnaturelle la mieux documentée de tous les temps et sans doute la plus probante.

Si le poltergeist Mackenzie n'est pas une entité surnaturelle, alors ça n'existe pas. Nulle part ailleurs au monde.

Quels types d'expériences ont été rapportés ?

Des zones chaudes ou froides. Des gens submergés par le chagrin ou la nausée. Les visiteurs sont frappés, poussés, mordus, brûlés, quelque chose d'invisible leur tire les cheveux ou leurs vêtements. Ils sentent souvent quelque chose sous plusieurs couches de vêtements. Ils ont tous des marques pour le prouver. Des gens s'évanouissent. Des appareils photos tombent en panne. On a noté des bruits et des odeurs étranges. Des anomalies auditives. Des voix spectrales. Une ou deux personnes ont affirmé être temporairement possédées. D'autres ont constaté que les troubles continuaient chez eux ou dans leur chambre d'hôtel. Beaucoup ne sentent rien du tout et découvrent des traces sur leur corps en quittant le tombeau.

Avez-vous été perturbé par ces manifestations ou l'atmosphère du lieu ? Et quel effet cela faisait de vivre près du cimetière ? Êtes-vous immunisé avec le temps ? Vous semblez mettre le phénomène au défi de se manifester.

Je n'ai jamais été perturbé. C'est formidable. Je suis très sceptique face aux fantômes traditionnels et je suis sûr qu'il existe une explication rationnelle, même si je n'en ai pas. Mais je suis plus fasciné qu'effrayé par ce qui se passe dans le cimetière. J'étais vraiment surpris de ne pas être perturbé par le fait de vivre dans un lieu réputé hanté. C'est peut-être ce qui me pousse à être

L'avocat du roi, George Mackenzie, fut le bourreau des Covenantaires.
Il n'a pas l'air de se reposer sur ses lauriers, puisque son fantôme serait l'un
des poltergeists les plus documentés.

sceptique. Si je pensais vraiment qu'il y a une entité surnaturelle violente dans ce lieu, j'aurais du mal à éteindre la lumière
le soir.

Quelle est l'affaire la plus troublante et convaincante dont vous avez entendu parler ou que vous avez vécue en lien avec le livre City of the Dead ?

J'ai entendu de nombreux témoignages, vu des traces étranges et des gens perdre connaissance, mais le plus convaincant concernait un animal. J'ai vu un oiseau dans l'herbe devant le Black Mausoleum, regardant à l'intérieur du tombeau. Il était cloué sur place au point de me laisser s'approcher de lui et le toucher. Il ne détournait pas son regard de l'entrée de la tombe, même si on était en plein jour et que je ne voyais rien à l'intérieur. Supposant que l'oiseau ne pouvait pas voler, soit parce qu'il était trop jeune ou blessé, j'ai reculé. Il a alors fait un bond en arrière, comme s'il avait reçu un coup de pied.

Il a fait une vrille et s'est envolé. Je n'ai jamais vu un animal se conduire ainsi. Et à l'inverse de tout incident impliquant un humain, il ne pouvait pas s'agir d'une simulation. Quelque chose dans ce tombeau l'avait terrifié au point de le paralyser.

Avez-vous vu les bleus, morsures, griffures et autres blessures que les gens affirment avoir reçus pendant les visites ?

Oui puisque j'ai été guide. J'ai aussi pas mal de photos, mais pas autant que je devrais.

En octobre 2003, ma maison surplombant le cimetière a brûlé avec la plupart de mes documents. J'ai perdu cinq ans de lettres, photos et témoignages concernant le poltergeist Mackenzie, ainsi que tous mes biens matériels. Les propriétés voisines n'ont pas été endommagées et aucune cause officielle pour l'incendie n'a pu être établie.

Heureusement, j'avais sauvegardé la plupart des témoignages sur un ordinateur dans un autre bâtiment. J'habite ailleurs, à présent.

Vous avez créé un test pour éliminer les fausses déclarations. Pouvez-vous nous le décrire ?

Nous avons essayé différentes méthodes. Comme d'emmener les gens dans le mauvais tombeau ou décrire un faux « symptôme » de l'attaque de poltergeist pour voir s'ils affirment alors que ça leur est arrivé. Malheureusement, il n'y a pas de test idéal.

S'il y a réellement un poltergeist, je ne vois pas pourquoi cette entité ne nous emboîterait pas le pas en changeant de tombeau ou fasse ce qu'on décrit.

Des médiums ont-ils fait la visite guidée et si oui, ont-ils pu identifier l'esprit responsable des phénomènes ?

Nous en avons eu beaucoup et ils ont décrit des choses différentes. Un ou deux ont senti des enfants et un autre couple, une grande silhouette. La plupart, cependant, ont juste affirmé sentir une présence puissante et maléfique.

Qu'avez-vous pensé des témoins que vous avez rencontrés ? Étaient-ils vraiment bouleversés ? Étaient-ils crédibles ?

Une fois encore, c'est variable. Certains semblent bien trop crédules ou bizarres pour être pris au sérieux. Mais d'autres ne m'ont pas fait l'effet d'être du genre à inventer des choses ou avoir une imagination débordante. Des hommes ou des femmes âgés, raisonnables, intelligents qui ne croient pas au paranormal.

En dépit de vos expériences, comme l'incendie inexplicable de votre maison, et vos entretiens avec des témoins, vous ne semblez toujours pas convaincu. Est-ce le cas ou bien réservez-vous votre jugement en refusant de mettre un nom sur quelque chose que vous n'avez pas vu ?

Cette dernière interprétation me convient. Je suis comme ça.

Je ne crois pas en Dieu pour cette raison, même si beaucoup de gens m'ont dit qu'Il les a touchés. Je veux des preuves empiriques avant de dire : « Oui, il y a une entité surnaturelle. » Le problème, c'est que je n'ai pas de preuve pour une autre explication. Il se passe assurément des choses bizarres ici.

Jan-Andrew a gentiment accepté de nous servir de guide dans la vieille ville.

Les extraits suivants proviennent de son ouvrage faisant autorité, *Edinburgh – City of the Dead* (Black and White Publishing) et reproduits avec la permission des éditeurs.

LE CHÂTEAU D'ÉDIMBOURG

Le château est hanté par plusieurs apparitions. Ce n'est pas surprenant, étant donné son passé riche en conflits et le fait qu'il existait déjà sous forme de fortifications depuis la préhistoire.

On raconte que John Graham de Claverhouse hanterait les lieux. Il était surnommé « Clavers le sanglant » en raison de son impitoyable persécution des Covenantaires au 17e siècle, avec son complice George Mackenzie.

Lorsque Jacques II d'Écosse fut détrôné, Claverhouse effectua une incroyable volte-face et leva une armée catholique pour combattre aux côtés de son roi. Il fut tué en menant une superbe attaque lors de la bataille de Killiecrankie en 1689 et pour cette raison, il est plus connu dans le folklore écossais sous le nom de « Bonny » Dundee. Lord Balcarres, responsable des prisonniers jacobites, le vit pour la première fois dans le château le soir de sa mort. Il y est apparu périodiquement depuis.

Cette même année, le duc de Gordon, gouverneur du château, a poignardé son intendant venu l'informer de la mort de sa famille. Le malheureux erre à présent dans les lieux. Certains employés sont indélogeables.

Il semble que le château est affecté par toutes sortes de revenants militaires. On a entendu des bruits de tambour fantômes dès 1650 et le bâtiment est tombé aux mains des forces d'Oliver Cromwell peu après, poussant à penser que c'était un présage désastreux. Lors d'autres apparitions, le joueur de tambour était invisible ou décapité et a été vu pour la dernière fois dans les années 1960.

Le château d'Édimbourg, un édifice imposant où l'on entend des cornemuses et des soldats fantômes marchant au pas sur ses remparts.

Sur les remparts aussi, il y a des cornemuses fantômes et des bruits d'hommes marchant au pas. Les cachots grouilleraient des esprits des prisonniers détenus pendant les guerres napoléoniennes et des sphères bleues ont été photographiées.

Le château est également hanté par Janet Douglas, Lady Glamis. Membre de la famille Douglas inspirant la méfiance des Stuart, elle fut accusée à tort de sorcellerie et brûlée en 1537 devant son mari et son fils. Fantôme très occupé, elle trouve le temps d'errer au château de Glamis à Angus.

Au siège du *Scotsman*, il vaut mieux ne pas ouvrir de porte mystérieuse.

LAWNMARKET

Lieu des dernières pendaisons publiques à Édimbourg en 1864. Une légende entoure une de ses maisons. Au 18ᵉ siècle, l'un des appartements fut brusquement abandonné au beau milieu d'un dîner. Les invités sortirent si hâtivement que le repas à demi mangé fut laissé sur la table, bien que l'un d'eux fermât la porte à clé en partant. Elle ne fut jamais rouverte. J'admets que ce détail m'intrigue. Si personne n'a déverrouillé cette porte, comment sait-on ce qu'on trouve sur la table ?

Au 19ᵉ siècle, l'histoire est entrée dans le folklore quand Robert Chambers a écrit : « Personne ne sait à qui appartient la maison ; personne ne s'en inquiète, aucun vivant n'en a vu l'intérieur, c'est une maison condamnée. » Malheureusement, elle l'était vraiment et n'existe plus.

CITY CHAMBERS, ROYAL MILE

Les restes de Mary King's Close, célèbre rue hantée, se trouvent en dessous.

THE SCOTSMAN HOTEL, PONT DU NORD

Ancien siège du journal *Scotsman*, qui semble peuplé d'une pléthore de fantômes. En 1990, un vigile a croisé un employé qu'il savait mort. En 1994, un typographe travaillant au sous-sol a trouvé une porte qu'il n'avait jamais vue auparavant. En entrant, il a découvert un imprimeur fantôme barbu portant des vêtements démodés et manipulant des plaques anciennes. Le bâtiment est aussi hanté par une femme blonde qui disparaît dès qu'un membre du personnel lui demande ce qu'elle veut. Apparemment, il y a aussi un faussaire fantôme, mais il ne faut pas croire tout ce qu'on lit dans les journaux.

LE PONT DU SUD

Les voûtes sous le pont seraient hantées par un homme sans visage et un poltergeist malicieux.

WHISTLE BINKIE'S BAR, NIDDRY STREET

Ce bar, installé sous les voûtes reconverties du pont, est hanté par un gentleman aux cheveux longs en costume du 17e siècle. Il est surnommé « l'observateur » et personne n'a jamais vu son visage. Ce lieu et les réserves des magasins du pont du Sud abritent aussi une entité connue comme « le diablotin ». Cette créature malicieuse arrête les pendules, claque les portes et déplace les objets. Ses apparitions ont commencé au début des années 1990 et continuent à ce jour.

ST MARY'S STREET

Hantée par la victime d'un meurtre apparemment sans mobile. Une jeune femme a été tuée dans cette rue en 1916 par un agresseur qui a jailli d'un porche, l'a poignardée avant de s'enfuir sans la voler, ni la violer. On peut la voir parfois, ses vêtements tachés de sang, une expression, à juste titre, étonnée sur le visage.

LE MUSÉE DE L'ENFANCE, ROYAL MILE

Dans la zone derrière le bâtiment, on entendrait des cris d'enfants tard dans la nuit. Une épidémie de peste aurait éclaté dans une pouponnière voisine qui fut bouclée avec les mères et les enfants à l'intérieur.

CHESSELS COURT

Lieu de la dernière tentative de vol ratée de Deacon Brodie. À la fin du 19e siècle, les logements qui s'y trouvaient étaient hantés par une femme portant un voile de soie noire, identifiée comme une habitante qui s'était récemment pendue.

CANONGATE, ROYAL MILE

Hanté par une femme qui brûle. C'était la fille d'une famille influente au 18e siècle qui eut le malheur d'avoir un enfant avec un serviteur. Un prêtre fut appelé pour lui administrer les derniers sacrements et refusa, puisqu'elle avait l'air en bonne santé. Il reçut de l'argent et des menaces pour garder le silence.

Plus tard, la jeune fille mourut dans un incendie « accidentel » qui brûla mystérieusement la maison. Reconstruite, elle prit feu à nouveau des années plus tard.

Au cœur du brasier, la jeune fille apparut, hurlant : « Brûlée une fois, brûlée deux fois, la troisième fois, je vous terroriserai tous ! » Le troisième incendie n'a pas encore eu lieu.

QUEENSBURY HOUSE, CANONGATE

Hantée par un mitron qui fut rôti et mangé par James Douglas, le démentiel comte de Drumlanrig, fils du duc de Queensbury. À l'époque, en 1707, le duc organisa l'union des Parlements anglais et écossais, une décision que le peuple d'Édimbourg rejeta au point qu'ils firent des émeutes et maudirent sa maison.

PALAIS DE HOLYROOD, ROYAL MILE

Les fantômes y sont de première catégorie – Marie Stuart, son mari Lord Darnley et son secrétaire David Rizzio – et ont tous connu une fin violente. Le fantôme nu de Bald Agnes (Agnès la chauve – ndt), torturée en 1592 et accusée de sorcellerie, fait un peu baisser le niveau.

COWGATE

Site en 1524 du plus grand combat de rue en Écosse où des centaines de personnes trouvèrent la mort. Cowgate est le lieu de naissance de Walter Scott et James Connolly, le chef républicain irlandais. La zone est hantée par un homme sans nom portant des marques de corde autour du cou.

WEST BOW (VICTORIA STREET)

Le maire Thomas Weir vivait dans Anderson's Close, démoli en 1827. Le lieu était aussi surnommé « le clos puant » et après de nombreuses apparitions de spectres, « le clos hanté ».

West Bow est aussi hanté par une diligence fantôme et un marin appelé Angus Roy. Estropié au cours d'un voyage en 1820, il s'installa dans ce quartier et y vécut pendant 20 ans jusqu'à sa mort. La mer lui manquait et les enfants se moquaient de lui, imitant sa façon de boiter. On peut le voir à l'occasion, traînant sa jambe blessée derrière lui. Dommage qu'il ait choisi une rue aussi escarpée pour errer.

GRASSMARKET

C'est là que les Covenantaires furent exécutés et un monument circulaire commémore ces événements tragiques. Des pendaisons y avaient lieu et le pub au nom bien choisi de Last Drop (dernière goutte – ndt) est juste derrière.

The White Hart Inn, l'auberge où les tueurs en série William Burke et William Hare (en bas à gauche) auraient repéré leurs victimes dans les années 1820, se trouve toujours là. Le quartier est hanté par une femme au visage brûlé et la diligence fantôme qui galope sur West Bow traverse parfois Grassmarket.

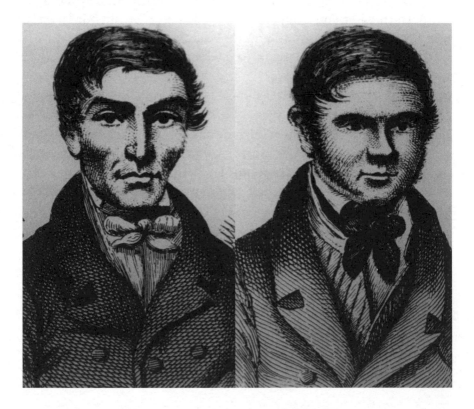

BELL'S WYND

En 1780, le locataire d'un des logements, George Gourly, alla voir son propriétaire à plusieurs reprises avec une demande raisonnable. Sa famille s'agrandissait et il voulait louer l'appartement en dessous du sien.

Son propriétaire, Patrick Guthrie, refusait toujours sans donner de raison. Frustré, Gourly entra par effraction dans le logement et trouva une silhouette fantomatique de femme au milieu de la pièce. Il eut si peur qu'il raconta ce qu'il avait fait au procureur. Une investigation permit d'y découvrir le cadavre de la femme de Patrick Guthrie. Il l'avait tuée en s'apercevant qu'elle le trompait.

GEORGE IV BRIDGE

C'est à l' »Elephant House », au numéro 21, qu'a été écrit *Harry Potter et la Chambre des secrets*. Les voûtes du pont sous la Bibliothèque nationale d'Écosse sont hantées par un chef des Highlands non identifié. Quand la bibliothécaire Elizabeth Clarke l'aperçut en 1973, elle remarqua que ses mains étaient menottées. Les voûtes servaient à emprisonner les mauvais payeurs au 19e siècle.

BEDLAM THEATRE, FOREST ROAD

Situé près d'un ancien asile et hanté par une ombre qui traverse le théâtre.

« Les victimes hantent leurs meurtriers, je crois. » Laurence Olivier, dans le rôle d'Heathcliff dans *Les Hauts de Hurlevent* (1939).

CHAPITRE 3

ANGES ET APPARITIONS

Le fantôme vengeur est devenu un cliché des livres et des films d'horreur. Mais en réalité, il semble qu'un esprit errant ne peut pas faire beaucoup plus qu'apparaître avec un air mélancolique, en espérant piquer la conscience d'un coupable pour obtenir une confession ou persuader une bonne âme de restaurer sa réputation. Les fantômes sont aussi réputés pour prévenir des périls, voire de prendre le contrôle de bateaux et avions en danger, guidant les pilotes et les passagers vers la sécurité.

ACCUSÉ DEPUIS LA TOMBE

« Les victimes hantent leurs meurtriers, je crois. »
Emily Brontë, Les Hauts de Hurlevent

En janvier 1897, Mary Jane Heaster de Greenbrier (Virginie-Occidentale) pleurait sa fille, Zona, morte dans des circonstances mystérieuses plus tôt dans le mois à 23 ans.

La cause officielle de sa mort était décrite comme « des complications liées à un accouchement », mais Mary Jane était certaine que sa fille n'était pas enceinte. Zona avait donné le jour à un enfant illégitime deux ans auparavant, mais il était ridicule de penser que sa santé avait été compromise à ce point.

Mary Jane n'était pas satisfaite. Ses soupçons furent définitivement éveillés par le témoignage du médecin de sa fille, le docteur Knapp, également chargé de déterminer la cause du décès. Il avait été appelé chez elle ce soir-là et découvert que le mari de Zona (qu'elle avait épousé trois mois auparavant), Edward Shue, avait déplacé le corps dans une chambre à l'étage et l'avait revêtu de ses plus beaux habits.

Il était dans un état d'agitation prononcé, serrant dans ses bras le corps inanimé de sa jeune épouse, gémissant de façon mélodramatique comme un traître d'opérette. Il refusa que le médecin examine sa femme, demandant qu'on le laisse la pleurer en paix. Il affirma ne rien savoir de ce qui avait pu causer sa mort, car le corps avait été découvert par un jeune garçon envoyé chez eux pour une course. En la voyant inanimée, il était allé chercher de l'aide.

Edward répétait qu'elle avait succombé à une « longue attaque ». Dans ces circonstances, le docteur Knapp ne put que jeter un coup d'œil au visage de la morte et remarqua des marques sur la joue droite et le cou, correspondant à un coup ou une strangulation.

Lors de la veillée mortuaire, la conduite d'Edward attira les soupçons. Il refusa qu'on s'approche du cercueil et recouvrit les marques sur le cou de la morte avec une écharpe censée être sa préférée.

Par hasard, sa mère retira un drap blanc du cercueil juste avant l'enterrement. Peut-être était-ce l'intuition féminine ou un murmure venu de l'au-delà. En tout cas, ce geste allait se révéler être un moment crucial dans l'affaire.

Pendant quatre nuits de suite, l'âme de Zona se manifesta dans la maison de sa mère.

Mary Jane remarqua d'abord une odeur étrange qu'elle avait d'abord mise sur le compte de l'embaumement, mais plus elle la sentait, plus elle était persuadée qu'il s'agissait d'autre chose qu'elle ne parvenait pas à définir. Quand elle essaya de rincer le drap, l'eau prit la couleur du sang. Elle en transvasa une partie dans une carafe et constata qu'elle était claire, alors que l'eau dans la cuvette restait écarlate. Le drap n'était plus blanc, mais rosé, la couleur du sang dilué. Elle frotta le drap, le laissa tremper, mais la tache subsista. Mary Jane se dit qu'il ne lui restait qu'à prier à présent. Elle voulait des réponses car elle savait que sinon, elle perdrait la tête à cause du chagrin. Au cours des jours suivants, lorsque la lumière baissait et que les ombres s'allongeaient, ses prières furent entendues.

Pendant quatre nuits de suite, l'âme de Zona se manifesta dans la maison de sa mère et révéla qu'elle avait souffert aux mains de son mari violent. Le soir du 22 janvier, il était devenu fou de rage en apprenant qu'elle n'avait pas préparé de viande pour son dîner. Il la frappa et lui cassa le cou. Et pour le prouver, l'apparition tourna la tête à 360 degrés ! En examinant le corps, on aurait pu découvrir les marques incriminantes et sentir la vertèbre démise. Mais comme aucune autopsie n'avait eu lieu, il n'y avait pas de preuve pour étayer les soupçons de la mère, outre l'accusation d'un fantôme.

EXHUMATION

Néanmoins, Mary Jane se rendit chez le procureur local, John Alfred Preston, et demanda qu'il interroge son ancien gendre. Preston ne pouvait pas ordonner l'arrestation d'Edward en se fondant au mieux sur des rumeurs et encore moins fournies par un fantôme. Mais il avait des doutes sur sa version des événements et souhaitait exhumer le corps de Zona pour l'autopsier. La détresse d'Edward en apprenant la nouvelle sembla confirmer ce que tout le monde disait en ville depuis des semaines – il aurait tué Zona – et désormais, il ne pourrait plus s'en tirer à si bon compte.

L'autopsie confirma que la strangulation était la véritable cause de la mort, ce qui permit au procureur d'entamer une procédure. Edward fut aussitôt arrêté et alors qu'il arpentait sa petite cellule dans la prison du comté, l'enquête mit à jour son passé douteux. Elle confirma qu'il avait contracté deux mariages, l'un d'eux s'étant achevé par un divorce et l'autre par la mort « accidentelle » de son épouse tuée d'un coup sur la tête. Apparemment, trois femmes ne suffisaient pas à Edward qui se vanta auprès de ses codétenus d'en vouloir sept avant de devenir trop vieux. Il était certain qu'aucun jury ne le condamnerait. Après tout, il n'y avait pas de preuve. Personne ne l'avait vu tuer sa femme. Un rôdeur aurait pu le faire. Il avait besoin à présent de doutes raisonnables pour recouvrer sa liberté à l'issue du procès.

Il avait entendu des rumeurs sur le fantôme de Zona, mais les écarta d'un revers de main comme étant les délires d'une mère folle de chagrin. Malheureusement pour l'accusation, le témoignage du fantôme fut jugé irrecevable par le juge avant le début du procès. Lorsque Edward entra au tribunal, il avait du mal à réprimer un sourire suffisant.

LE PROCÈS

L'avocat d'Edward était aussi sûr de lui que son client, ce qui causa sa perte. Il comptait se moquer de Mary Jane en lui demandant de répéter son histoire de fantôme afin de la discréditer aux yeux du jury. Mais elle garda son calme pendant l'interrogatoire, impressionnant la cour. Rien de ce que disait la défense ne semblait l'atteindre. Ce n'était pas son imagination, affirma-t-elle, qui lui avait dit que sa fille était morte étranglée et qu'on avait serré son cou au niveau de la première vertèbre. C'était la première fois que la cause précise de la mort était mentionnée pendant les débats et lorsqu'elle fut confirmée par le médecin qui avait rédigé le rapport d'autopsie, le silence se fit dans la salle. Edward fut piégé par ses mensonges et accusé du meurtre. Il n'échappa à l'exécution que parce qu'il avait été condamné grâce à des preuves indirectes. Il mourut en prison le 13 mars 1900 et reste le seul homme aux États-Unis reconnu coupable de meurtre grâce au témoignage d'un fantôme.

LE PILOTE FANTÔME

À l'automne 1916, une école de pilotage à Montrose (Écosse) fut le théâtre d'une série d'apparitions qui semblent confirmer l'idée qu'une âme revient de l'au-delà si elle veut redresser un tort ou être reconnue pour quelque chose qu'elle estime mériter.

Pendant plusieurs mois, les membres les plus âgés du personnel aperçurent une silhouette vaguement perceptible en uniforme de pilote devant le mess. Elle s'approchait de la porte du baraquement avant de disparaître. À l'intérieur, les pilotes et les employés disaient avoir senti une présence. L'un d'eux jura même avoir vu le spectre au pied de son lit. Des recherches conclurent que le fantôme était sans doute celui de l'instructeur Desmond Arthur, tué lors d'un vol de routine en 1913 après une réparation bâclée de son biplan. La faute avait été apparemment étouffée et l'accident attribué à une erreur de pilotage, ce qui devait pousser Arthur à se retourner dans sa tombe. Dès que la vérité fut mise en lumière, le phénomène de hantise s'arrêta et Arthur repartit sans doute vers le repos éternel.

LE SOUS-MARIN CONDAMNÉ

Sur une note plus sombre, l'équipage du sous-marin allemand UB-65 semble avoir été condamné dès la construction de l'engin. Lors de son premier voyage, une torpille explosa alors qu'elle était chargée à bord, tuant six hommes et le commandant en second. Mais ce ne fut pas la dernière fois qu'on l'aperçut. Lors de sa première patrouille, l'équipage rapporta avoir vu l'officier sur le pont, les bras croisés, regardant les nuages. On le revit le jour où le capitaine trouva la mort, puis à chaque fois qu'un désastre frappait le vaisseau. Sa seule apparition suffit à pousser un marin au suicide alors que rien de fâcheux ne s'était produit ce jour-là. Lors de son ultime voyage en

1918, il fut aperçu à la surface, apparemment abandonné, par un sous-marin américain dont le capitaine envoya ses hommes à leurs postes croyant qu'il s'agissait d'un piège. Mais avant qu'il puisse tirer, le vaisseau allemand explosa et coula. La dernière chose notée par le capitaine américain dans son journal de bord fut l'apparition d'un officier allemand immobile sur la coque, les bras croisés, les yeux levés vers le ciel.

VAISSEAUX FANTÔMES

Ce genre d'incident est souvent mis sur le compte d'échos sur les ondes, mais il y a eu de nombreux cas où des fantômes sont intervenus pour sauver les vivants. En 1949, le capitaine du paquebot de ligne Port Pirie était à terre à Sydney, en Australie, attendant les ordres pendant que l'équipage préparait le bateau pour son prochain voyage.

L'un des ingénieurs remplit la chaudière et coupa les pompes quand la jauge indiqua qu'elle était pleine. Mais quand il s'éloigna, les pompes se remirent en marche toutes seules. Il les coupa à nouveau après avoir vérifié la jauge, tourna les talons et la situation se reproduisit. Sa curiosité en éveil, il démonta la chaudière et la révisa entièrement. Il s'aperçut que la jauge était défectueuse et signalait que la chaudière était pleine alors qu'elle était quasiment vide.

Si le vaisseau était parti sans qu'on détecte ce problème, il aurait pu exploser en mer, entraînant la mort de l'équipage. Lorsque l'ingénieur raconta l'histoire à ses hommes, l'un d'eux se souvint que l'incident s'était déjà produit. Le premier ingénieur du paquebot avait été tué quand la chaudière s'était retrouvée vide et avait explosé. Dans un dernier soupir, il avait juré de ne plus laisser une telle chose arriver. Aurait-il pu être celui qui avait remis en marche la pompe afin d'avertir son successeur ?

Une histoire similaire entoure la perdition du Pamir, un bateau qui sombra dans l'Atlantique en 1957 avec très peu de survivants. Depuis, ce Hollandais Volant moderne a été aperçu par plusieurs

Le vaisseau fantôme *Pamir* : les survivants jurent qu'il a exercé une « force mystérieuse » qui les a tirés vers une mer plus calme.

équipages en détresse qui ont raconté que le vaisseau fantôme les avait sauvés d'une mort certaine.

Même si le Pamir n'a pas joué un rôle actif dans le sauvetage des bateaux en danger, les survivants jurent qu'il a exercé une « force mystérieuse » qui les a tirés d'un grain vers une mer plus calme tout en n'étant pas touché par le mauvais temps. Ces histoires semblent tirées par les cheveux, mais les marins rescapés ont tous mentionné que l'un des hommes du vaisseau fantôme avait un bras en écharpe, un fait confirmé ensuite par un survivant du Pamir.

À chaque fois que le Pamir a été vu, son équipage était plus clairsemé, laissant entendre qu'au fil des sauvetages, la malédiction est levée pour un ou plusieurs marins condamnés.

LE PILOTE FANTÔME

Les fantômes ne cherchent pas tous à se venger ou redresser un tort. Certains semblent agir comme des anges gardiens. L'un des cas les plus remarquables a été rapporté par le pilote anglais Bill Corfield qui s'est retrouvé dans un terrible orage alors qu'il volait vers Athènes en 1947. Tandis que l'avion et l'équipage étaient malmenés par une tempête et que la visibilité était sévèrement réduite, Bill décida de descendre à 20 mètres au-dessus du niveau de la mer et de piloter à l'aveugle dans l'espoir de percer les nuages.

Son navigateur remarqua alors le canal de Corinthe, un passage très étroit, tout juste cinq mètres plus large que l'envergure de l'avion. Instinctivement, Bill vira vers l'embouchure et se stabilisa, pilotant dans l'obscurité totale sur 7 kilomètres, une manœuvre qu'il qualifia ensuite de « suicidaire ».

Mais personne ne paniqua. En fait, l'équipage était submergé par un sentiment de sérénité que l'un d'eux compara à celui d'être dans une cathédrale. Bill admit : « Je savais – absolument et sans aucun doute – que mon frère [Jimmy avait été tué pendant la Seconde Guerre mondiale] était avec moi dans l'avion. Il n'y avait rien de physique, mais il était là. »

Bill était si fermement convaincu de la présence de son frère qu'il retira les mains des commandes et le laissa piloter. Lorsque l'avion sortit du canal, émergeant dans un ciel dégagé, Bill reprit le contrôle et se posa à destination.

Les vaisseaux fantômes sont un ingrédient de base des légendes maritimes, les trains hantés sont parfois vus sur des lignes abandonnées, mais les avions de revenants sont d'une grande rareté.

Tôt le matin du 13 juin 1999, les aiguilleurs du ciel de l'aéroport John-Wayne à Orange County, au sud de Los Angeles, furent submergés d'appels de pilotes se plaignant qu'un avion privé envahissait leurs couloirs de vol et les mettait en danger.

Son moteur strident avait mis dans le rouge trois appareils de contrôle sonore, agaçant le personnel au sol qui nota son numéro FAA (Federal Aviation Administration) pour déposer une plainte. Les habitants des propriétés élégantes entourant l'aéroport l'avaient aussi remarqué.

Ils téléphonèrent aux autorités toute la matinée pour leur faire part de leur colère contre ce pilote casse-cou autorisé à perturber leur petit déjeuner, frôlant leurs maisons et faisant des acrobaties trop près d'une zone résidentielle.

Il volait si bas que plusieurs citoyens exaspérés notèrent son numéro de FAA peint sur sa carlingue rouge. N21X. En l'espace d'une heure, le propriétaire fut identifié.

Il s'agissait de Donald « Deke » Slayton, ancien astronaute du programme Mercury, capitaine de la mission Apollo-Soyuz de 1975, connu pour son goût immodéré pour la vitesse.

ANTIHÉROS DU JOUR

Mais il n'était le héros de personne ce matin-là. Quand son avion fila enfin vers les nuages et disparut des écrans des radars, il laissa derrière lui une traînée de jurons et beaucoup d'agacement. Il avait dérangé tout le monde, fait des cascades irresponsables et de nombreux citoyens étaient décidés à porter plainte jusqu'à l'obtention d'un résultat. Ils n'eurent pas longtemps à attendre.

Les vaisseaux fantômes sont un ingrédient de base des légendes maritimes, les trains hantés sont parfois vus sur des lignes abandonnées, mais les avions de revenants sont d'une grande rareté.

Deux semaines plus tard, une lettre de plainte contre Slayton fut approuvée et trois semaines après, elle fut enfin transmise à sa femme, Bobbie.

Mais elle n'était plus sa femme. Lorsqu'elle appela le FAA pour demander s'il s'agissait d'une mauvaise blague, elle fit bien comprendre qu'elle était la veuve de Deke et avait de bonnes raisons d'être furieuse. Elle était à son chevet, ce matin-là, à des milliers de kilomètres de là, au Texas alors qu'il mourait d'une tumeur au cerveau.

Et non, personne d'autre n'aurait pu emprunter l'avion qui était exposé dans un musée de l'aéronautique au Nevada, sans son moteur.

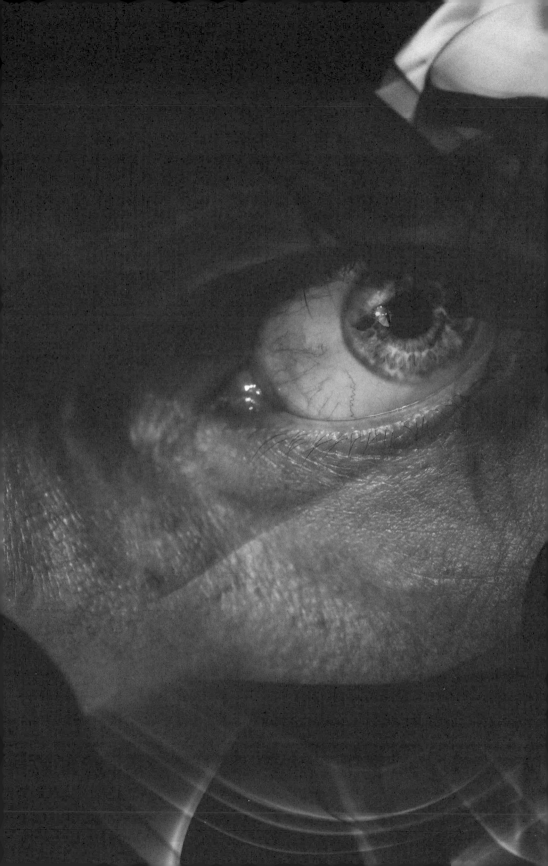

CHAPITRE 4

REVENU D'ENTRE LES MORTS

Quelques-unes des meilleures preuves de la survie de l'âme après la mort ont été obtenues par des médiums très sensibles ou des télépathes qui affirment entrer en contact avec les défunts. Dans de rares cas, ils ont pu produire des manifestations physiques de disparus que les enquêteurs ont pu questionner, voire toucher, confirmant que leur présence n'était pas un canular ou le fruit d'une suggestion hypnotique.

« Je n'imagine pas d'étape plus importante que l'homme se familiarisant avec l'idée qu'il est un esprit intégré de façon temporaire dans la chair ; et que la dissolution du lien entre l'âme et le corps, même si elle change la condition extérieure de ce dernier, laisse son état moral intact. Un homme restera tel qu'il s'est façonné ; son état est le résultat de sa vie passée, son paradis ou son enfer sont en lui. »
Catherine Crowe, *The Night Side of Nature*, 1848

Haley Joel Osment joue le rôle d'un enfant perturbé qui affirme parler aux morts dans *Le Sixième Sens*.

L'opinion publique considérait les télépathes comme des excentriques et des individus très instables et beaucoup s'avérèrent être des charlatans qui exploitaient le deuil avec cynisme pour gagner leur vie. Heureusement, le succès récent de films comme *Le Sixième Sens* et la série *Médium* ont popularisé l'idée que des gens ordinaires peuvent communiquer avec les morts pour les réconforter et permettre aux vivants de tourner la page et que les fantômes sont un phénomène naturel et non surnaturel.

De nombreux télépathes célèbres d'aujourd'hui comme Derek Acorah, Colin Fry et Tony Stockwell en Grande-Bretagne ou les Américains John Edward et James Van Praagh ont vu leurs premières apparitions quand ils étaient très jeunes et que leur lien au monde des esprits était le plus fort. Ce n'est que lorsque les autres ont affirmé qu'il s'agissait d'inventions qu'ils ont appris à craindre les fantômes et nier ce qu'ils voyaient pour éviter le mécontentement de leurs parents et les moqueries des enfants.

Il faut une sensibilité rare et aiguisée pour sentir la présence de personnalités désincarnées et la volonté d'admettre leur existence afin de communiquer avec elles. Peu de gens choisissent de développer ce don et acceptent la responsabilité qui l'accompagne, car ils ouvrent une véritable boîte de Pandore et s'exposent à être traités d'affabulateurs, voire à être harcelés par les morts qui veulent rassurer leurs proches qu'ils n'ont pas cessé d'exister et évoluent dans une dimension parallèle.

LES SÉANCES DE SPIRITISME DE MIRABELLI

Dans les premières années du spiritualisme, juste avant, puis après la guerre de 1914-18, plusieurs enquêtes de scientifiques éminents furent entravées par des supercheries grossières perpétrées par de faux médiums s'attaquant aux plus crédules ou endeuillés. Mais ce n'était pas le cas de tous. Certains firent des démonstrations qui semblaient offrir la preuve irréfutable de l'existence de fantômes. À l'époque, le médium le plus remarquable était sans aucun doute le jeune Brésilien Carlos Mirabelli qui se fit connaître en 1919 en devenant l'objet d'une investigation poussée et exhaustive de l'Académie des Études Parapsychologiques Cesare Lombroso. Au cours des tests, Mirabelli accepta de diriger une série de 392 séances de spiritisme en plein jour ou dans des pièces bien éclairées. Lors d'une session particulièrement mémorable, il rencontra l'esprit désincarné d'une petite fille qui se matérialisa devant des témoins. L'un d'eux, un certain docteur de Souza, se leva et d'une voix tremblante d'émotion parla à l'apparition vêtue d'un linceul. Il s'adressa à elle par son nom, certain qu'il s'agissait de sa fille, morte récemment de la grippe. Incapable de se contenir, le médecin se précipita sur le fantôme qu'il étreignit. On le vit discuter avec elle pendant trente minutes jusqu'à ce que la fillette disparaisse. Il certifia ensuite que la conversation avait porté sur des sujets que seule sa fille pouvait connaître.

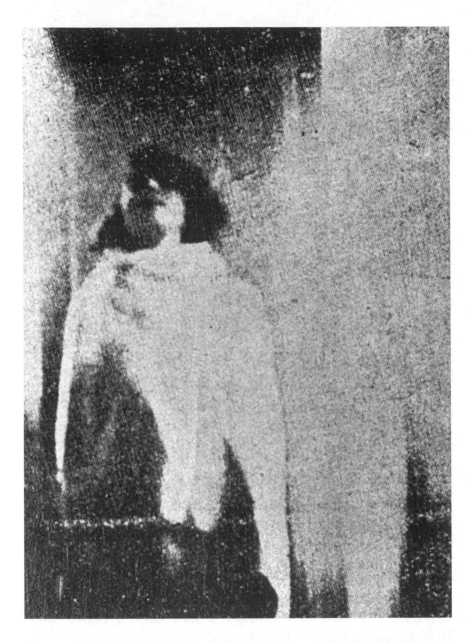

Photo prise par le docteur Thadeu de Medeiros selon les instructions de Mirabelli. On y voit une Anglaise disparue, Zabelle, avec des « rayonne-ments ».

Carlos Mirabelli (à gauche en transe) avec le docteur Carlos de Castro (à droite) dans les années 1920. Entre eux, une « matérialisation » du poète mort Giuseppe Parini.

Lors d'une autre séance, l'esprit d'un évêque mort en mer se matérialisa pendant plus de 20 minutes au cours desquelles un médecin l'examina et nota ses gargouillements d'estomac et la salive dans sa bouche.

Heureusement, quelqu'un eut la présence d'esprit d'apporter un appareil photo à l'une des séances suivantes où Mirabelli fit apparaître une silhouette assez consistante pour avoir une ombre et laisser son image sur la pellicule pour l'éternité. Mais ces exploits furent ignorés par le public dont la fascination pour les phénomènes et le besoin de croire ont été cruellement exploités par des scandales impliquant de faux médiums.

MESSAGE DE L'AU-DELÀ

Même si de nombreux médiums transmettent des messages apparemment banals des chers disparus qui n'améliorent pas notre connaissance de l'au-delà, d'autres apportent une aide très pratique.

Récemment, Brenda Richardson, une femme au foyer anglaise, pleurait encore son mari, Charles, lorsqu'elle fut invitée dans une église spiritualiste par une amie pensant lui apporter un peu de réconfort. Lors de ces réunions, un médium monte toujours sur scène après le service pour communiquer les messages des morts à destination de leurs proches dans la congrégation.

Brenda n'y croyait pas, mais son intérêt fut éveillé quand le médium lui dit avoir un message de Charles qui se tenait à côté d'elle à cet instant. Il voulait que sa veuve sache qu'un tableau accroché dans leur salle à manger était un investissement et non un coup de cœur comme il le lui avait raconté et qu'il était temps de le revendre. Cela mettrait fin à ses soucis financiers. Brenda n'avait parlé à personne de ses problèmes d'argent, ni pensé au tableau qui ne paraissait rien avoir de spécial. Mais le médium insista. Le tableau avait de la valeur. C'était une peinture d'un certain W.H. Davies, un artiste relativement obscur, mais très respecté du 19e siècle. L'œuvre fut vendue aux enchères et la somme obtenue mit Brenda à l'abri du besoin en un clin d'œil.

PARLER AUX MORTS

La plupart d'entre nous trouveraient extraordinaire de croiser un fantôme une fois dans sa vie, mais certains en voient tous les jours. Ils ont même parfois du mal à distinguer les morts des vivants. Ces individus doués sont généralement appelés voyants, mais préfèrent le terme « sensitifs », de crainte d'être associés aux diseuses de bonne aventure et autres personnes qui ont donné mauvaise réputation à la médiumnité à l'époque du spiritisme. Les médiums d'aujourd'hui sont plus souvent des hippies vieillissants offrant un soutien spirituel lors de conventions New Age ou de jeunes télépathes célèbres ayant leur propre émission à la télé.

Comme nombre de ses contemporains, le télépathe américain James Van Praagh a d'abord accepté sa « vocation » à contrecœur, mais fut persuadé d'utiliser son don lorsque les fantômes de plusieurs enfants lui demandèrent d'attraper leur assassin.

La première victime avait tenté de contacter James quand il était enfant, mais il avait été terrifié par l'apparition du garçon à sa fenêtre la nuit et prié pour qu'il le laisse en paix. Sa peur fut envenimée par ses parents agacés par ce qu'ils considéraient comme de l'imagination morbide. James apprit ensuite que l'aversion de sa mère pour ces histoires venait de ses propres expériences étouffées parce qu'elles entraient en conflit avec son éducation catholique. Malheureusement, elle envoya son fils dans une école religieuse où ses « dons » lui valurent de nombreux problèmes.

Un jour, il « vit » une jeune fille dans la cour tenant des patins. James eut l'impression qu'elle voulait dire à son frère qu'il n'était pas responsable de sa mort survenue lorsqu'elle était tombée à travers la glace, mais lorsqu'il confia ce message à son camarade, celui-ci devint enragé et se plaignit au directeur de l'école qui traita James de menteur. Les choses empirèrent plus tard dans la journée quand James informa son professeur que son fils allait être renversé par une voiture et s'en sortirait avec une jambe cassée. Le soir même, le professeur se rendit chez lui pour lui dire que sa prédiction s'était réalisée et l'avertir qu'un tel « don » était un cadeau du diable.

RENCONTRE AVEC « EDDIE »

Mais ce n'est pas le diable qui lui envoya sa vision suivante. Lors d'une sortie scolaire dans une réserve naturelle locale, James rencontra un garçon de son âge qui tenait une tortue comme si elle était sa seule amie. Il dit qu'il s'appelait Eddie et James sentit qu'ils avaient un lien, étant tous les deux en marge.

Cependant, quelque chose chez lui était étrange. Eddie avait une coupe de cheveux démodée et portait des vêtements datant des années 1940 ou 1950. Il avait aussi un air mélancolique que James attribua à sa jambe appareillée qui devait l'empêcher de jouer avec les autres enfants. Quand James retourna avec son groupe, il se retourna pour dire au revoir à Eddie, mais il n'était plus là. Peu après, les coups sur sa fenêtre de chambre reprirent et cette fois, il vit le visage de celui qui voulait entrer. C'était Eddie. Dès qu'il alluma la lumière, la vision disparut et James comprit qu'Eddie était un fantôme.
James se remit à prier avec plus de ferveur pour que les esprits cessent de venir à lui.

La mère de James l'envoya dans une école catholique où ses « dons » lui causèrent des problèmes.

JE VOIS DES MORTS

Ce n'est qu'à l'âge adulte que ces souvenirs si longtemps réprimés refirent surface. James avait alors sa propre entreprise et cherchait quelqu'un pour concevoir un site internet. La femme qui répondit à son annonce se trouvait être une télépathe qui, au cours de leur conversation, fit des prédictions exactes sur des soucis de famille qu'elle n'aurait pas pu connaître par des méthodes conventionnelles. Elle décrivit même un rêve que James faisait depuis l'âge de six ans au cours duquel il était adulte, au chevet de sa mère alors que l'esprit de sa grand-mère entrait pour conduire l'âme de sa fille vers un autre monde.

James fut naturellement intrigué, mais ne voulait rien avoir à faire avec des médiums de crainte de réveiller son don. « J'ai eu mon compte de surnaturel », lui dit-il.

Néanmoins, elle le persuada de venir à une manifestation parapsychologique dirigée par un médium en qui elle avait confiance. Pendant le meeting, il affirma voir James entouré de morts voulant communiquer avec leurs proches à travers lui. «Vous pouvez fermer la porte du monde des esprits si vous le souhaitez, dit-il à James, mais ils vous parlaient et veulent à nouveau le faire. Ils me disent que vous avez rêvé de votre grand-mère. C'est le même rêve que vous faisiez quand vous aviez six ans. Vous êtes à l'hôpital et votre grand-mère vient chercher votre mère mourante. »

Pensant être victime d'une mauvaise blague de sa nouvelle employée avec la complicité du médium, James s'excusa et quitta la réunion en jurant de ne plus se faire duper. Mais on ne le laissa pas gâcher son talent aussi facilement.

Un jour, il « vit » sa mère récemment disparue errer dans les rayons du supermarché local, comme si elle cherchait quelque chose ou quelqu'un. Avant qu'il puisse la suivre, un petit garçon noir fit

James Van Praagh, télépathe : « Certains seulement sont assez sensibles pour devenir médiums. »

tomber une boîte d'œufs à ses pieds et s'en alla sans un mot. Alors que James se baissait pour nettoyer, il remarqua le nom sur l'emballage, « Mother Hen Nurseries ». Cela ne lui évoqua rien sur le moment, mais ce serait un indice vital dans le mystère des enfants disparus.

LE NID VIDE

Un deuxième indice arriva un peu plus tard quand James ouvrit sa boîte aux lettres et y trouva un nid d'oiseau garni de sept œufs bleus. Pensant que les enfants du quartier lui avaient fait une farce, il le mit de côté et n'y pensa plus, mais cette nuit-là, le garçon noir croisé au supermarché apparut dans son salon, tenant le nid. Il était vide à présent et les mains de l'enfant étaient attachées avec une corde.

On faisait clairement appel à James pour sauver une âme errante, mais lorsqu'il demanda au garçon ce qu'il voulait, ce dernier ne répondit pas. « Dis-moi ce que tu attends de moi », répétait James, frustré et un peu effrayé. Cette fois, l'enfant ouvrit la bouche pour parler et de la terre ruissela sur le tapis. Ces visions venaient à lui grâce à son « troisième œil », celui de la perception.

Souffrant de maux de tête, son entreprise malmenée par la situation économique, James consulta un psychologue, mais n'en tira pas un grand réconfort. Lors d'une séance mémorable, il « vit » une femme d'âge moyen très agitée s'engouffrer dans le cabinet du médecin et fouiller son bureau. Il ne comprenait pas pourquoi ce dernier ne réagissait pas, puis réalisa qu'il ne pouvait pas la voir ou l'entendre. Elle était morte. En un instant, il comprit la signification de cette vision. C'était la femme du psychologue qui rejouait les derniers moments de sa vie. Impuissant, James la vit découvrir un flacon de médicaments dont elle avala le contenu avant de mourir sous ses yeux. Il décrivit la scène, mais fut interrompu par le psychologue qui reconnut sa femme et refusa d'écouter ce que son patient « délirant » avait à dire.

LE VIEUX MONSIEUR

Être télépathe ne préserve pas des épreuves de la vie et James en a eu largement sa part. Après la mort de sa mère et la faillite de son entreprise, il dut déménager pour une maison plus petite. Certains diront que ces facteurs et le stress en résultant provoquèrent ses « visions », mais ils ne pourront pas expliquer la suite.

Venu signaler un cambriolage au commissariat de police, il vit l'âme d'un vieux monsieur tentant de communiquer avec sa veuve qui se renseignait sur l'avancement de l'enquête sur la mort de son mari. Réticent à l'idée d'intervenir et conscient qu'il risquait de passer pour fou, James se sentit néanmoins obligé de transmettre le message de l'homme âgé.

Bien entendu, le fils se montra protecteur envers sa mère et méfiant envers l'inconnu qui affirmait voir des morts, mais s'il y avait la moindre chance que cette visite fût réelle, la femme voulait parler à son mari. Elle s'était sentie perdue lorsqu'il n'était pas rentré chez eux quelques jours plus tôt et James lui apprit qu'il n'était pas mort d'une crise cardiaque comme le supposait la police. Il avait été agressé en prenant un raccourci.

Un jeune homme lui avait volé son alliance et la montre qu'il adorait.

S'il avait pu déduire ces deux éléments, James n'aurait pas pu deviner où l'on avait retrouvé le corps de l'homme, ni que le fantôme de la victime avait fait tomber sa photo de mariage d'une étagère époussetée par sa femme le matin même.

Si le fils réussit à faire expulser James du commissariat pour harcèlement, la mère n'en resta pas là. Elle alla le voir un peu plus tard dans la journée, ayant trouvé son adresse sur le formulaire qu'il avait rempli pour son cambriolage.

Rétablissant le contact avec le vieil homme, James lui donna des détails personnels, dont le numéro de leur chambre d'hôtel pendant leur lune de miel. Puis son empathie très poussée lui permit de revivre les derniers instants de la victime, sa peur face à son agresseur et la douleur de la crise cardiaque causée par la lutte.

James put ensuite donner à la veuve une description précise du voleur et de la maison où il vivait avec ses parents. Il lui indiqua qu'il était connu de la police. C'était un informateur qui s'appelait Ronnie. James révéla que Ronnie avait caché la montre et l'alliance avec d'autres objets volés dans une boîte de cigares sous les marches du perron de la maison.

Naturellement, la police se montra sceptique et questionna James avant de décider d'agir ou non, mais il réussit à convaincre l'inspectrice chargée de l'affaire en lui disant précisément où elle pourrait trouver les lunettes qu'elle avait perdues le matin même. Ses informations se révélèrent bonnes : Ronnie fut arrêté et les objets volés, récupérés.

INTUITION PSYCHOMÉTRIQUE

Les messages de James ne furent pas tous appréciés. Quand il transmit celui de la sœur de l'inspectrice, morte dans un accident de voiture des années auparavant, elle ne voulut pas l'écouter, furieuse qu'il se soit immiscé dans son chagrin. L'idée que les morts puissent hanter les vivants la mettait mal à l'aise, mais elle ne pouvait pas ignorer les indices qu'il apporta concernant Eddie et d'autres enfants disparus.

À ce moment-là, James travaillait dans une librairie. Un jour, il emballait un volume des contes d'Edgar Allan Poe qui s'ouvrit sur une illustration de *L'Enterrement prématuré*. Instinctivement, il comprit pourquoi le petit garçon lui était apparu muet et ligoté.

On l'avait enterré vivant. En quête de détails qu'il pourrait soumettre à la police, il consulta un Ouija et demanda comment s'appelait le garçon apparu à plusieurs reprises avec le nid. La planchette épela le nom *Dennis Branston*. Le lendemain, James rentrait chez lui quand Dennis apparut devant lui, le forçant à freiner brutalement. L'instant d'après, il était assis à ses côtés, le nid sur ses genoux. « Qu'est-ce que tu essayes de me dire ? » demanda James, plus frustré qu'effrayé. Il remarqua alors qu'il se trouvait dans Bird's Nest Lane (qu'on pourrait traduire par « rue

James put donner à la vieille dame le nom de celui qui avait tué son mari.

James consulta un Ouija pour demander le nom de l'enfant qui lui était apparu à plusieurs reprises, un nid à la main.

du nid d'oiseau » – ndt). Ça ne pouvait pas être une coïncidence. Dennis voulait lui indiquer où il était mort.

Poursuivant sa route sans son guide, James passa devant Mother Hen Nurseries, le nom se trouvant sur la boîte d'œufs que Dennis avait fait tomber à ses pieds. Il devait être sur le bon chemin. Quelques minutes plus tard, il arriva à Turtleback Park, la réserve naturelle où il avait rencontré Eddie des années plus tôt.

Garant sa voiture, James s'aventura dans les bois, appelant les esprits d'Eddie et Dennis, leur demandant ce qu'il devait faire pour qu'ils trouvent la paix. La réponse se manifesta d'une façon qui aurait fait détaler plus d'un télépathe. L'une après l'autre, les âmes errantes de sept garçons morts sortirent de terre : Eddie, Dennis et cinq autres qu'on avait enterrés avec eux.

Quand la police arriva sur place, elle déterra les corps des sept enfants, dont les mains étaient ligotées comme l'avait vu James, à l'exception de l'un d'eux. Celui d'Eddie Katz fut retrouvé, sa prothèse orthopédique intacte, preuve que l'intuition de James était bonne. Mais ses mains n'étaient pas attachées et l'autopsie révéla qu'il avait succombé à une blessure par balle. Des examens prouvèrent qu'il était mort trente ans avant les autres, ce qui coïncidait avec la date de sa disparition en mai 1963.

Les affaires classées sont les plus difficiles à élucider et celle-ci ne fournit aucun indice médico-légal exploitable. En l'apprenant, James proposa d'obtenir des renseignements sur l'assassin d'Eddie à partir de sa prothèse orthopédique, une technique appelée psychométrie. Les télépathes pensent que les objets inanimés conservent des énergies résiduelles et qu'il est possible de se mettre à l'écoute de ces « souvenirs » simplement en les tenant. Des effets personnels comme des montres et des bagues ont le potentiel le plus prometteur, mais tout objet associé à une émotion forte – comme une arme du crime – peut révéler des informations vitales si le télépathe est très sensible. La police, n'ayant rien d'autre à se mettre sous la dent, accepta à contrecœur l'offre de James. À sa stupéfaction, il obtint des indices cruciaux.

En tenant la prothèse orthopédique, James entra aussitôt en connexion avec les émotions les plus fortes d'Eddie, celles du moment de sa mort. Pendant quelques secondes, il put voir à travers les yeux du garçon. Il était seul dans la forêt de Turtleback Park, à l'endroit où il l'avait rencontré des années auparavant. Deux chasseurs traquaient un cerf à quelques mètres de là. Le premier était Lester Petrocelli, le second son frère, Richard. Ils entendirent un bruit dans les fourrés et, pensant qu'il s'agissait de leur proie, Richard cria à Lester de tirer. Il toucha Eddie à la tête et l'enfant mourut sur le coup. En trouvant le corps, ils paniquèrent et l'enterrèrent, jurant de ne dire à personne ce qui s'était passé.

En interrogeant Mme Katz, la police découvrit que quelqu'un lui envoyait des fleurs à chaque Noël accompagnées d'une carte, et pour cette raison, elle croyait que son fils était encore en vie. L'expéditeur avait préservé son anonymat en payant la fleuriste en liquide envoyé par la poste, mais au bout de trois décennies, il devait se sentir en sécurité, puisqu'à Noël, il vint en personne. Quand la police demanda à la fleuriste de le décrire, elle répondit que ce n'était pas nécessaire puisque c'était un visage familier dans la ville. C'était l'homme figurant chaque année sur les affiches et dépliants rappelant aux gens de remplir leurs déclarations d'impôts. Il s'appelait Lester Petrocelli.

Les fantômes ne se contentent pas de hanter un lieu s'ils veulent se venger. À travers nos rêves et en influençant nos pensées, ils peuvent concourir à organiser une rencontre ressemblant à une incroyable coïncidence pour les pauvres pions que nous sommes. Ce n'est sûrement pas un hasard si, quelques jours plus tard, James vit Lester Petrocelli dans un restaurant local, l'esprit de son frère Richard récemment décédé derrière lui, le pressant de transmettre un message vital.

« Excusez-moi, coupa James aussi poliment que possible. Je ne sais pas comment vous le dire, mais je vais me lancer. Votre frère se tient derrière vous et il dit que vous n'avez pas à vous reprocher la mort de l'enfant, même si vous avez pressé la détente. C'était un accident.

– Laissez-moi, laissez-moi. Je ne veux pas en entendre parler », protesta Lester, devenant de plus en plus agité. Son visage rougit et avant que ses amis puissent intervenir, il porta sa main à sa poitrine et tomba au sol, victime d'une crise cardiaque. À l'hôpital, il fut réanimé, mais on ne lui donna que quelques jours à vivre. Dans ces conditions et sachant que son frère le poussait à avouer avant qu'il ne soit trop tard, il raconta l'histoire de la fusillade fatale à la police venue à son chevet.

TUER POUR NE PAS ÊTRE SEUL

James avait eu raison une fois encore, mais l'histoire n'était pas terminée. Les inspecteurs ne comprenaient pas pourquoi on avait creusé la sixième tombe en dehors du cercle formé par les autres. Puis ils réalisèrent qu'elle marquait le début d'un second cercle. Le tueur était toujours là, en quête de nouvelles victimes.

Lester Petrocelli avait tiré sur Eddie par accident, mais quelqu'un enlevait des garçons du même âge et les enterrait vivants là où il était mort. Était-ce parce qu'il n'était pas capable de meurtre pur

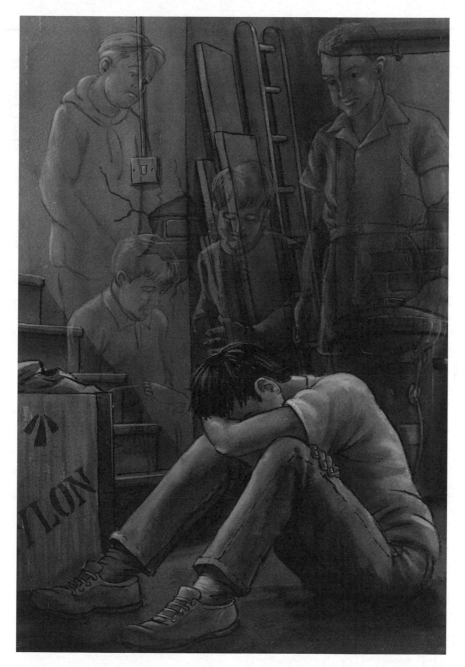

James demanda aux enfants d'apparaître une dernière fois pour se libérer.

et simple ou était-il fou, poussé à tuer, peut-être, pour offrir une compagnie à Eddie ?

Pendant que la police examinait cette possibilité, James supplia les garçons disparus d'apparaître une dernière fois et de révéler le nom de l'assassin.

Tandis que les âmes se réunissaient dans l'obscurité, James sombra dans une transe, revivant le dernier enlèvement, celui d'une victime encore vivante, enfermée dans une cave jusqu'à ce que son ravisseur soit prêt à l'enterrer aux côtés d'Eddie. Désormais convaincue qu'elle pouvait exploiter les intuitions de James, l'inspectrice en chef renvoya son équipe dans la réserve naturelle pour sauver ce dernier enfant d'une mort certaine, mais il s'avéra introuvable. Pendant que les policiers faisaient des remarques sarcastiques à ses dépens, James comprit son erreur. Le tueur n'allait pas enterrer sa dernière victime à Turtleback Park, puisque les corps avaient tous été exhumés. L'enfant serait inhumé au cimetière où reposait désormais Eddie.

En pleine nuit, la police fonça vers le cimetière et croisa une voiture filant vers la sortie. James se précipita vers une tombe fraîchement creusée tandis que l'inspectrice faisait demi-tour pour poursuivre le fugitif. N'ayant que quelques secondes devant lui, James creusa le sol à mains nues et porta secours à l'enfant terrorisé ; au même moment, l'inspectrice se gara devant une maison voisine et suivit le conducteur à l'intérieur. Arme en main, elle le chercha dans toutes les pièces avant de remarquer l'accès au sous-sol. Prudemment, elle l'entrouvrit et descendit jusqu'à une porte verte, celle que James avait vue lors de sa dernière transe. Là, à genoux, nettoyant la cellule de sa dernière victime, se trouvait Molly Katz, la mère d'Eddie, indifférente à la présence de la policière, murmurant que cet enfant lui avait demandé beaucoup d'efforts.

PARDON

Pendant son interrogatoire, il est apparu que Molly Katz avait appris la mort de son fils par Richard Petrocelli qui avait avoué la dissimulation du crime à l'insistance de son prêtre. Submergée par le chagrin, elle avait enlevé des petits garçons, s'imaginant qu'ils allaient tenir compagnie à Eddie, sans réaliser les souffrances qu'elle avait causées aux familles.

Alors que la police observait la scène à travers le miroir sans tain de la salle d'interrogatoire, James vint trouver Molly et demanda aux enfants d'apparaître une dernière fois pour lui pardonner, les libérant au passage.

CHAPITRE 5

AUTOROUTES DE L'ENFER

Les longs voyages en voiture peuvent être infernaux, surtout si l'on fait un détour par la quatrième dimension où les auto-stoppeurs fantômes attendent au bord de la route qu'un chauffeur s'arrête. La plupart de ces histoires ne sont que des légendes urbaines, mais celles qui sont décrites ici ont un air d'authenticité. Si elles sont vraies, en tout cas, elles posent une question : puisque les morts peuvent passer à travers les murs, pourquoi certains choisissent de faire de l'auto-stop ?

ROUTE 666

Comme tout lecteur de la Bible ou amateur de films d'horreur le sait, « 666 » est le chiffre de la bête, l'antéchrist, censé arriver à la fin du monde pour la bataille finale apocalyptique entre le Bien et le Mal. On peut donc se demander ce qui a poussé un responsable des services routiers américain à baptiser US 666 la portion ouest de l'autoroute Chicago-Los Angeles. Il n'était clairement pas superstitieux ou ne se doutait pas qu'il invoquerait des forces obscures et destructrices sur ce qui allait devenir « l'autoroute de l'enfer ».

Ce nom est bien mérité car quelques portions de route peuvent s'enorgueillir d'une série de rencontres étranges. Elles vont des auto-stoppeurs fantômes aux camions en feu qui foncent sur un conducteur, le forçant à accélérer s'il ne veut pas finir incinéré ou chassé de la route. Mais il y a aussi des histoires de chiens sauvages qui pourchassent, griffent et mordent des pneus jusqu'à ce que la voiture les sème. Puisqu'un animal normal ne peut pas poursuivre un véhicule sur une autoroute, ces événements sont mis sur le compte du surnaturel. Il est possible que les conducteurs aient confondu ces chiens de l'enfer avec une espèce particulière de métamorphe connue dans le sud-ouest des États-Unis, le skinwalker, censé pouvoir prendre la forme d'un humain ou d'un animal et de disparaître quand il a forcé l'automobiliste à faire une embardée. Il y a de nombreuses histoires de personnages cadavériques se matérialisant à l'arrière de véhicules pour terroriser les conducteurs qui les aperçoivent dans le rétroviseur. Beaucoup sont sortis des décombres après un accident en maugréant contre l'inconnu sur la banquette arrière devant des policiers qui ont mis cela sur le compte de l'alcool, la drogue ou la fatigue. Certains enquêteurs ont même attribué le taux particulièrement élevé d'accidents sur cette route pendant les années 1970 à une forme d'hystérie collective créée par l'intérêt pour le démoniaque au cours d'une décennie qui a donné le jour à des films comme *L'Exorciste*, *La Malédiction*, sans oublier le camion possédé de *Duel* de Steven Spielberg.

Mais c'était peut-être l'enfer et non Hollywood qui a projeté son ombre sur cette autoroute isolée. En 1991, elle avait si mauvaise réputation que des portions entières étaient désertées.

Les automobilistes faisaient de longs détours plutôt que de risquer d'être la proie des nombreuses apparitions censées la hanter, même si beaucoup d'entre eux étaient rebutés à l'idée de tomber en panne dans le désert d'Arizona ou d'affronter des cols tortueux. Les collectionneurs de souvenirs volant les panneaux indicateurs compliquaient les choses, laissant les touristes perplexes.

Les fonctionnaires des autoroutes recevaient aussi des plaintes de restaurants de routiers et de stations-service se plaignant d'un trafic quasi inexistant et réclamant un changement de nom. Cette considération commerciale, plutôt que les rumeurs de malédiction, a probablement persuadé la commission des autoroutes de la rebaptiser US 191. Depuis, le nombre d'incidents inexplicables a baissé de façon spectaculaire, mais même aujourd'hui, seuls les automobilistes les plus confiants s'arrêtent pour prendre des auto-stoppeurs et s'assurent de rester éveillés et alertes à tout moment.

LA ZONE MORTE

Si vous comptez faire un tour en Floride prochainement, écoutez les gens du cru et évitez d'emprunter l'Interstate 4 au nord d'Orlando, en particulier la portion de 400 mètres au sud du pont de la rivière St John. Ce ne sont pas les bouchons qui vont gâcher vos vacances, mais quelque chose d'intangible supposé être responsable du taux d'accidents très élevé à cet endroit. Les téléphones portables et les radios sont parasités, ou, pire encore, captent des voix troublantes et éthérées qui ont poussé les habitants à baptiser cet endroit la « zone morte ».

Ce nom a une solide base historique : en 1885, les derniers survivants d'une communauté catholique connue sous le nom de St Joseph's Colony moururent de la fièvre jaune et d'autres colons se débarrassèrent des corps dans un champ qui servit de cimetière. Contrairement à leur dernière volonté, ils n'eurent pas droit à un enterrement chrétien, puisque aucun prêtre n'officia à la cérémonie. Le fermier qui travaillait cette terre évita les tombes et ne fut victime d'aucune activité surnaturelle, mais lorsque des ouvriers arrivèrent pour construire l'autoroute en 1960, ils ne firent pas l'effort de déplacer les cadavres. Ils se contentèrent d'aplanir le terrain et de le recouvrir de bitume. Les problèmes commencèrent à ce moment-là.

Pendant qu'ils faisaient la chaussée, l'ouragan Donna balaya la Floride, causant des destructions sans précédent, ce qui repoussa

Le camion possédé du film *Duel* de Steven Spielberg (1971).

l'avancement du projet de plusieurs mois. Les témoins affirment
que l'épicentre de la tempête semblait être au milieu du « champ
des morts », à l'emplacement des tombes. Depuis, il y a eu des apparitions nocturnes de « lumières fantômes », que les automobilistes
fatigués prennent pour des phares et évitent d'un grand coup de
volant, et des nuages sombres en plein ciel bleu planent au-dessus
des voies, obligeant les conducteurs à freiner brutalement par
crainte de foncer dans une nuée d'oiseaux ou un animal. On ignore
combien d'accidents ont été provoqués par ces manifestations et il

est vraisemblable qu'on ne le saura jamais puisque les victimes sont allées rejoindre les âmes troublées dans la zone morte.

L'AUTOROUTE HANTÉE

Une autre portion d'autoroute à éviter est celle de Pine Barrens sur la Garden State Parkway qui, en apparence, a l'air d'une petite voie calme à la sortie du New Jersey. Beaucoup d'automobilistes ont regretté d'emprunter cette route pittoresque dans les forêts baignées de brouillard aux limites du Delaware, tout particulièrement la nuit. Les auto-stoppeurs fantômes alimentent les légendes urbaines, mais celle de Parkway n'a rien d'un mythe.

La police du New Jersey a dû prendre les dépositions d'automobilistes terrifiés affirmant avoir fait une embardée pour éviter un homme grand et mince aux vêtements dépenaillés qu'on a vu courir sur les voies allant vers le nord, près de la sortie 82, gesticulant frénétiquement comme s'il voulait héler les voitures. On a mis plusieurs accidents sur le compte de cette apparition soudaine au milieu d'une route par ailleurs sûre et rectiligne. L'apparition d'un conducteur égaré répondant à la même description a été signalée ailleurs le long de cette voie. Cette silhouette élancée, vêtue d'un long manteau démodé, est fréquemment aperçue près d'une voiture accidentée au bord de la route, tentant d'appeler à l'aide. Mais dès que quelqu'un s'arrête, il constate que le conducteur et son véhicule ont disparu.

AUTO-STOPPEURS FANTÔMES

Les auto-stoppeurs fantômes font partie des légendes urbaines dans des endroits aussi éloignés que la Malaysie, Hawaï ou la Russie. La plupart ne sont que des racontars, mais certaines histoires méritent qu'on s'y attarde.

Dans les années 1950, un couple américain accompagné d'un ami se rendait à un bal et s'arrêta en voyant une jeune fille blonde au bord de la route.

C'était une soirée froide, mais elle ne portait qu'une robe blanche légère et en montant à l'arrière de la voiture, elle remarqua qu'il faisait chaud. Elle dit s'appeler Rose White et au cours de la conversation, accepta leur invitation au bal.

La soirée se passa très bien, mais les deux hommes remarquèrent que la jeune fille avait froid lorsqu'ils dansèrent avec elle. Ils la déposèrent ensuite à l'endroit où ils l'avaient rencontrée et fixèrent un rendez-vous le lendemain à l'adresse qu'elle leur donna.

Lorsqu'ils s'y rendirent, ils furent choqués de se retrouver devant un couvent. Quand ils racontèrent leur histoire à l'une des nonnes, elle leur montra une photo de Rose qu'ils identifièrent aussitôt comme la jeune fille rencontrée la veille. Puis elle les emmena au cimetière voisin et désigna la tombe de Rose. Ils n'étaient pas les premiers à venir la chercher, expliqua-t-elle. Tous les quinze ans, à l'anniversaire de sa mort, elle apparaissait au bord de la route dans l'espoir de trouver un peu de compagnie.

On raconte une histoire similaire en France, survenue à deux couples mariés qui prirent une jeune auto-stoppeuse sur la route de Montpellier en 1981. Elle s'assit entre les deux femmes à l'arrière et ne dit pas un mot pendant tout le voyage. Soudain, elle poussa un cri et le conducteur freina brusquement, même s'il n'y avait rien sur la route. Les deux femmes se mirent alors à hurler et les hommes se retournèrent, constatant que l'auto-stoppeuse avait littéralement disparu.

Ces histoires, corroborées par des témoins, semblent être de véritables incidents paranormaux, mais il y a une explication plus banale dans les cas où un conducteur seul prend un auto-stoppeur qui disparaît sans dire au revoir. Les médecins ont un nom pour cette forme d'hallucination, l'hypoxie, et assurent qu'elle est provoquée par le manque d'oxygène qui se produit souvent pendant de longs trajets en voiture, surtout si l'automobiliste a fumé. Cela expliquerait l'un des cas les plus célèbres d'auto-stoppeuse fantôme dont a été victime le caporal de l'armée sud-africaine Dawie van Jaarsveld.

En 1978, Jaarsveld partit à moto retrouver sa petite amie à Uniondale, dans la province du Cap, lorsqu'il vit une jeune fille brune sur le bas-côté de la route. Elle accepta qu'il la conduise en ville et mit le casque destiné aux passagers. Quelques kilomètres plus tard, trouvant que sa moto roulait bizarrement, il s'arrêta et s'aperçut que sa passagère avait disparu. Il fut surtout alarmé de constater que son deuxième casque était toujours accroché au véhicule. Avait-il tout imaginé ou était-ce possible que l'événement se soit produit dans une autre réalité ? Aussi fou que cela puisse paraître, la deuxième solution est la plus plausible puisque Jaarsveld put ensuite identifier la jeune fille sur une photo, ce qu'il n'aurait pas pu faire s'il avait imaginé l'incident. Il s'agissait de Maria Roux, 22 ans, tuée dans un accident de voiture en avril 1968 sur cette route.

LA BLONDE DE BLUEBELL HILL

Les farceurs, les conducteurs saouls et les gens en mal d'attention sont fréquemment à l'origine des histoires d'auto-stoppeurs fantômes, mais ceux qui ont rapporté avoir renversé une jeune fille à Bluebell Hill, un point noir en matière d'accidents dans la campagne anglaise du Kent, semblaient sérieux.

En 1972, un conducteur au nom peu courant de M. Goodenough se rendit au commissariat local et signala qu'il avait accidenté une jeune fille dont il avait recouvert le corps d'une couverture. Mais en arrivant sur place, les policiers ne trouvèrent rien.

Il n'y avait pas de trace de sang, juste une couverture et des marques de pneus où « l'accident » se serait produit. Vingt ans plus tard, la même chose se reproduisit. Un automobiliste du nom de M. Sharpe se précipita au commissariat et s'accusa d'avoir tué une jeune fille qui avait traversé devant sa voiture avant qu'il ait pu freiner. Une fois encore, la police se rendit sur place et n'y trouva aucun cadavre. Bizarrement, les deux chauffeurs avaient décrit la même personne, une blonde portant une robe blanche.

CHAPITRE 6

MAISONS HANTÉES

S i vous pensiez que les fantômes ne hantent que les châteaux en ruine et les demeures historiques, vous vous trompez. Les spectres d'aujourd'hui ont plutôt tendance à s'installer dans un pavillon de banlieue où ils pourront vraiment se rendre indésirables. Et si c'est votre maison qui est hantée, n'accusez pas vos squatteurs : ils s'offusquent peut-être de votre décoration ou de vos goûts musicaux. N'hésitez donc pas à consulter une Ouija la prochaine fois que vous ferez des travaux chez vous.

« Qui peut s'étonner que l'homme ait une vague croyance dans les histoires d'esprits désincarnés errant dans les lieux qu'ils aimèrent jadis profondément, quand lui-même, à peine moins coupé de son vieux monde qu'eux, s'attarde éternellement sur les émotions du passé et laisse planer le fantôme de ce qu'il fut près des lieux et des gens qui réchauffèrent autrefois son cœur ? »

Charles Dickens, *Le Pendule de Maître Humphrey*

« … Si nos ancêtres attachaient trop d'importance à ces arcanes mal compris du côté sombre de la nature, nous n'y avons pas prêté assez d'attention. »

Catherine Crowe, *The Night Side of Nature*, 1848

L'époque où les fantômes déambulaient dans des corridors couverts de toiles d'araignées en secouant des chaînes rouillées est révolue. Les âmes errantes d'aujourd'hui préfèrent faire du karaoké au son de MTV si elles n'obtiennent pas le respect et la reconnaissance qu'elles méritent. C'est du moins le message délivré par le professeur Broersma, mort juste avant Noël 1987 dans la maison qu'il avait construite au 2115 Martingale Drive dans une banlieue de l'Oklahoma. Un lieu qu'il est retourné hanter jusqu'à ce que les nouveaux occupants réalisent ce qu'il voulait.

Évidemment, au début le professeur eut du mal à communiquer si l'on se fie aux expériences des nouveaux propriétaires. En fait, plusieurs occupants se succédèrent rapidement dans la maison et quittèrent les lieux à cause de bruits et d'incidents inexplicables, jusqu'à l'emménagement, en 1994, des jeunes mariés Jon et Agi Lurtz. Ils ne furent pas rebutés par les histoires de fantôme ou le fait qu'un précédent occupant se serait apparemment enfui en laissant là toutes ses affaires. Ils aimaient cette maison et n'avaient pas l'intention d'en être mis à la porte par qui que ce soit, mort ou vivant.

La campagne d'intimidation du professeur commença par des émissions régulières à la radio en pleine nuit. Le son était très, très fort. Malgré ses efforts, le couple n'arriva pas à localiser la source du signal.

La radio n'était même pas branchée. Et il ne s'agissait pas d'une station que les Lurtz reconnaissaient, mais d'un bulletin d'informations datant de plusieurs années. On se serait cru dans un épisode de *La Quatrième Dimension*.

Finalement, ils conclurent que le bruit venait du plancher, mais quand ils soulevèrent les lattes, ils ne trouvèrent pas de radio.

Après cet échec, le fantôme adopta une autre tactique. Il prit possession de la chaîne Hi-Fi et se mit à passer du heavy metal à plein volume. Apparemment, il avait une préférence pour le groupe allemand Rammstein, dont l'assaut de guitares saturées menaçait de faire tomber le plâtre du plafond. Jon et Agi rentraient souvent de leur shopping et trouvaient la chaîne à fond, alors qu'ils l'avaient éteinte avant de sortir.

Mais le professeur n'avait pas tenu compte d'Agi, une jeune femme pratique et déterminée qui avait déjà vécu dans des maisons hantées et savait comment faire respecter ses droits à ses squatteurs désincarnés.

Une nuit de 1998, elle se réveilla, vit la silhouette d'un homme se tenant au pied de son lit et, pensant que c'était le professeur, elle exigea de savoir ce qu'il voulait. Il lui répondit avec un accent étranger qu'il désirait la nécrologie qu'il n'avait jamais eue. Puis il disparut.

Cela ne semblait pas déraisonnable et, plus tard dans la journée, Agi se mit à faire des recherches sur le passé du professeur.

Elle s'aperçut que ses griefs étaient bien fondés. Sa mort n'avait pas été signalée dans le journal local et personne n'avait salué ses réalisations considérables. Pendant la Seconde Guerre mondiale, cet universitaire d'origine hollandaise avait fait partie de la résistance à ses risques et périls, après quoi il était parti aux États-Unis. Il avait participé au développement de la technologie des capteurs pour la NASA. Toutes ces actions furent citées dans la nécrologie élogieuse qu'Agi rédigea pour le journal local et intégrées à l'oraison funèbre qu'elle lut lors d'une cérémonie du souvenir organisée pour commémorer sa vie. C'était tout ce que voulait cet esprit tourmenté puisque aussitôt après, les troubles cessèrent.

Certains préfèrent garder leurs réussites pour eux, mais clairement, le professeur estimait qu'on lui devait un peu de reconnaissance avant de reposer en paix.

« Je crois qu'il pensait mériter tout cela, a dit Agi au journal. Il en avait besoin avant de pouvoir s'en aller. »

Dans le film d'horreur de Stephen Spielberg, *Poltergeist*, une famille se retrouve au centre d'une tempête d'activités paranormales causées par des âmes errantes furieuses contre les promoteurs qui ont profané leurs tombes. Bien sûr, ce genre de choses n'arrive pas dans la réalité. Quoique…

En 1983, Ben et Jean Williams ont appris que des expériences terrifiantes peuvent arriver à des gens ordinaires s'ils ont la malchance de construire une maison sur un ancien cimetière.

Lorsque le couple s'installa, il adorait sa maison de rêve si bien située. Le nouveau lotissement à Newport (Texas) était à distance raisonnable de Houston et possédait des jardins paysagers impeccables et des propriétés élégantes. Mais il y avait un souci. Leur jardin semblait attirer un grand nombre de serpents venimeux. Et ce n'était pas tout. Les lumières s'allumaient et s'éteignaient toutes seules, la porte du garage tombait souvent en panne et l'atmosphère était anormalement oppressante. Les Williams avaient beau se répéter qu'ils vivaient la vie dont ils avaient rêvé, ils ne pouvaient pas se débarrasser d'un mauvais pressentiment ou de l'impression d'être observés.

Dès qu'il se passait quelque chose d'étrange, ils trouvaient une explication rationnelle. Les problèmes de lumières et de porte du garage pouvaient être causés par une installation électrique défectueuse, les serpents par un phénomène naturel qui serait découvert un jour et leur paranoïa par le stress du déménagement.

Mais il n'y avait pas d'explication pour la série de grands trous rectangulaires qui semblaient former un motif sur leur pelouse. À chaque fois qu'ils les rebouchaient, le sol s'en écoulait, laissant ces mêmes impressions en forme de tombes. Tout le voisinage en parlait. Leurs soupçons reprirent quand des entrepreneurs se mirent à creuser l'arrière-cour de leur maison appartenant à leurs voisins, Sam et Judith Haney, et déterrèrent deux cercueils en mauvais état, contenant les cadavres d'un homme et d'une femme. Personne ne dormit très bien à Newport cette nuit-là.

Dans *Poltergeist* (1982), les esprits envahissent la maison et sèment le chaos. Des événements similaires se sont produits à Bakersfield.

Le lendemain, leur curiosité en éveil, les habitants du lotissement se réunirent pour enquêter sur l'histoire du site et découvrirent qu'il avait servi de cimetière aux citoyens noirs les plus pauvres de la région, dont beaucoup étaient d'anciens esclaves.

Ils réussirent à localiser un fossoyeur noir à la retraite qui identifia les restes exhumés comme étant ceux de Bettie et Charlie Thomas, morts pendant la Grande Dépression. Par respect pour les défunts, les Haney insistèrent pour que les corps soient ré-enterrés dans le jardin lors d'une cérémonie chrétienne. Mais cela ne sembla pas apaiser les morts, ni la soixantaine d'anciens occupants du cimetière Black Hope de Newport. Pendant les jours suivants, les Haney furent victimes d'un poltergeist : une pendule cracha des étincelles, des pas fantômes se firent entendre dans la maison à la nuit tombée et une paire de chaussures de Judith fut retrouvée sur la tombe fraîche de Bettie. C'en était trop pour les Haney. Ils poursuivirent les promoteurs en justice et gagnèrent, avant de perdre en appel. Ils n'avaient plus qu'une solution, déménager et laisser leur maison aux fantômes.

Pendant ce temps, Ben et Jean Williams envisageaient sérieusement de vendre et déménager, mais les rumeurs d'activités étranges s'étaient propagées dans la communauté immobilière et personne ne voulait se charger de leur maison. Un soir, alors que Ben rentrait tard, il vit une silhouette se tenir au pied du lit où sa femme dormait. Ce fut l'incident de trop. Il se dit que pour remporter la bataille contre le promoteur perdue par ses voisins, il devrait fournir des preuves physiques. Donc, espérant que d'autres corps étaient enterrés dans le jardin, il décida de les retrouver avec l'aide de sa femme. Jean se mit à creuser un après-midi, mais trouva la tâche trop fatigante et confia la pelle à sa fille de 30 ans, Tina. Rapidement, Tina se plaignit de douleurs à la poitrine et de difficultés à respirer avant de s'effondrer. Elle mourut deux jours plus tard. Les Williams déménagèrent peu après et s'installèrent dans le Montana.

LE SQUATTEUR SPECTRAL

Il y a bien pire que de vivre avec un fantôme : vivre avec un fantôme doté d'un mauvais caractère. Frances Freeborn s'en aperçut à ses dépens lorsqu'elle emménagea dans une maison à Bakersfield (Californie) en novembre 1981.

Apparemment, l'ancienne propriétaire, Meg Lyons, avait quitté les lieux et ce bas monde dans la précipitation, laissant derrière elle ses meubles et ses vêtements toujours accrochés dans sa penderie. Frances ne perdit pas un instant pour se débarrasser de tout cela avant de redécorer la maison, mais l'esprit de Mme Lyons n'était pas prêt à reposer en paix.

Le premier signe d'activité anormale se manifesta par une série de bruits dans la cuisine que Frances mit sur le compte d'une plomberie défectueuse. Un ouvrier local inspecta la tuyauterie et le chauffage sans rien trouver. Dès qu'il remballa ses outils, les bruits reprirent. Frances se dit qu'il s'agissait d'une de ces choses inexplicables, mais les jours suivants, elle se posa des questions lorsque les portes des placards s'ouvrirent toutes seules et que les lumières qu'elle avait éteintes se rallumèrent dès qu'elle sortait.

Sans être nerveuse de nature, elle se sentit résolument mal à l'aise au fil des semaines. Au lieu d'avoir plaisir à apporter sa touche personnelle à la maison, elle commença à avoir l'impression que quelqu'un l'observait et n'aimait pas ses changements. Une photo ancienne encadrée fut décrochée à plusieurs reprises et posée, intacte, contre la plinthe, dès que Frances avait le dos tourné. Au bout de cinq fois, Frances comprit qu'elle devait l'accrocher ailleurs. Peu après, le gendre de Mme Lyons lui rendit visite et l'histoire du cadre voyageur ne l'étonna pas. Sa belle-mère avait accroché une photo similaire à cet endroit précis et n'aimait visiblement pas la nouvelle.

Frances tint le coup jusqu'à la nouvelle année, mais au printemps, la floraison de son jardin ne parvint même pas à lui remonter le moral. Elle fit un dernier effort pour transformer la maison et y imposer sa marque. Elle dépensa une petite fortune au magasin de bricolage local et revint avec de quoi redécorer la chambre principale. Mais le lendemain matin pendant le petit déjeuner, alors qu'elle regardait les nuanciers, les fenêtres et les portes s'ouvrirent brutalement avant d'être claquées, comme si des mains invisibles lui montraient la sortie. Frances comprit l'avertissement. En chemise de nuit, elle prit son chien qui aboyait et se dirigea vers la porte d'entrée, mais quelque chose bloqua sa retraite.

« Il y avait une zone de pression, une masse dans l'entrée, raconta-t-elle ensuite, comme si quelque chose de menaçant et d'horrible était concentré là. J'ai réalisé qu'il fallait que je quitte la maison, sinon, j'allais mourir. »

Au prix d'un énorme effort, elle hurla à pleins poumons et s'arc-bouta contre la masse maléfique, comme si elle traversait un déluge. Un instant plus tard, elle sortit et fila vers sa voiture. Elle ne le regretta jamais.

UN PROBLÈME LÉGAL

Dans une histoire similaire, les nouveaux acquéreurs d'une grande maison victorienne du nord de l'État de New York poursuivirent le vendeur pour récupérer leur acompte, sous prétexte qu'on ne les avait pas prévenus qu'elle était hantée. L'ancienne propriétaire,

Helen Ackley, réagit en disant que la réputation de la maison en matière d'activités paranormales était connue de tous. Elle avait même publié plusieurs récits de ses expériences et sa maison s'était retrouvée incluse dans une visite guidée de lieux surnaturels. Mais elle s'était montrée moins ouverte avec des acheteurs potentiels, si l'on devait se fier à l'avis de Jeffrey et Patrice Stambovsky. « Nous avons été victimes d'une fraude à l'ectoplasme », se plaignit Jeffrey devant les journalistes qui couvraient l'affaire. La presse en fit ses choux gras, mais la cour d'appel de New York prit l'histoire au sérieux et jugea que, même si les fantômes n'existaient pas vraiment, il suffisait qu'un futur acquéreur y croie pour être dissuadé d'acheter la maison. Le juge Rubin résuma ainsi sa décision :

« Appliquer strictement la règle du caveat emptor *(que l'acheteur soit vigilant) à un contrat impliquant une maison possédée par des esprits frappeurs conjure des visions d'un médium accompagnant les ingénieurs en génie civil lors d'une inspection de toute maison sujette à un contrat de vente. Afin d'éviter ce type de conséquences insupportables, la notion qu'un phénomène de hantise est une condition qui peut et devrait être établie après une inspection raisonnable des lieux est un petit démon qui doit être exorcisé de la jurisprudence et discrètement porté en terre. »*

PHOTOS FANTÔMES

La petite Lisa Swift détestait les cours de piano. Ce n'était pas qu'elle n'avait pas la patience de faire ses gammes. Non, c'était l'accompagnateur qui lui déplaisait, un Indien de 7 000 ans jouant un air discordant et obsédant à la flûte dès qu'elle s'installait au piano. Il y avait aussi les ombres qui semblaient la suivre d'une pièce à l'autre, accompagnées par l'odeur du bois en train de brûler. Mais ces sons et ces parfums ne dérangeaient pas sa mère, Rita Swift, une femme au foyer californienne. Du moins pas tout de suite. Au cours de l'été 1969, Rita était très occupée par son nouveau hobby, photographier sa maison et le chat de la famille. L'appareil qu'elle utilisait n'avait rien de remarquable. C'était un vieux Kodak avec des pellicules en noir et blanc. Donc peut-être était-ce la qualité de la lumière dans le jardin au mois de septembre ou un défaut sur le film ou l'appareil, car il n'y avait pas d'explication rationnelle pour les images qui apparurent sur les trois derniers clichés quand le négatif fut développé trente ans plus tard.

Bien sûr, ce développement tardif aurait pu créer les apparitions. L'effet embrumé est un défaut répandu dans la photographie amateur causée par la lumière s'infiltrant dans l'appareil et ces traînées blanchâtres ont été prises pour des fantômes dans le passé. Mais les clichés que Rita Swift récupéra en 1999 étaient nets et les inconnus qu'elle avait photographiés sans le savoir des années auparavant n'étaient sûrement pas ses voisins.

Sur le premier, on voyait trois Indiens en costume traditionnel en train de danser en ligne. Les deux autres montraient une tribu en habits de cérémonie groupée autour d'une rangée de corps préparés pour une crémation rituelle. Rita pensa que quelqu'un au magasin de photos lui avait fait une farce, mais les autres clichés étaient bien de sa famille. Personne chez elle n'aurait pu s'amuser non plus puisqu'elle avait rangé l'appareil et la pellicule dans une malle en septembre 1969 et personne n'y avait touché jusqu'à ce qu'elle le retrouve par accident trente ans plus tard.

Lorsqu'elle osa montrer les photos à des Indiens vivant dans le voisinage, ils refusèrent de les regarder de plus près, de crainte de perturber une cérémonie sacrée.

Si la maison des Swift était construite sur un cimetière indien, cela aurait expliqué le son de la flûte et les odeurs de bois, mais sans preuve physique, les cyniques parleront d'imagination débordante et d'interprétation d'une photo floue.

Mais cela n'explique pas les os brûlés retrouvés dans le jardin de la famille en 1962, bien avant les photos hantées. Heureusement, quelqu'un eut la présence d'esprit de les envoyer au California State College de Long Beach pour une analyse.

Les experts les identifièrent comme étant les restes partiellement incinérés d'une Indienne, remontant environ à 7 000 ans. Si les Swift avaient développé les photos plus tôt, ils n'auraient peut-être pas fait un agrandissement sur ce site, ni placé le piano là où la crémation s'était déroulée. La petite Lisa serait sans doute devenue une bien meilleure musicienne.

La tête de la jeune fille semblait au-dessus de la rambarde de la sortie de secours, alors que son corps était placé derrière.

LE VISAGE À LA FENÊTRE

« *Tout ce qui de près ou de loin se rattache aux phénomènes psychiques et à l'action des forces psychiques en général doit être étudié comme n'importe quelle autre science. Ils n'ont rien de miraculeux ou de surnaturel, rien qui puisse occasionner ou entretenir la superstition.* »

Alexandra David-Neel,
***Mystiques et Magiciens du Tibet*, 1929**

Même avant l'invention de la photo numérique, il était relative-ment facile de falsifier une image. On pouvait créer une appari-tion convaincante délibérément ou accidentellement grâce à une double exposition et un trucage de la lumière comme le halo. Mais dans les années 1990, aucun rédacteur digne de ce nom ne se serait laissé prendre par des astuces aussi primitives, si bien que quand le photographe de l'*Indianapolis Star*, Mike Fender, développa ce qui semblait être une vraie photo d'apparition, il se demanda s'il devait la publier et risquer de perdre son emploi ou la détruire.

Le 29 avril 1997 au matin, Fender alla couvrir le déplacement d'une ferme historique de style néo-gothique du 19ᵉ siècle d'une colline à l'extérieur de la ville vers un lieu de choix où elle serait protégée par la fondation des monuments historiques. L'opération était délicate pour les transporteurs qui devaient se charger de cette demeure fragile de 24 pièces sans la démonter, mais pour Fender, c'était un travail de routine. Étant méthodique et consciencieux, il prit des photos sous tous les angles. Puis, alors qu'il se tenait devant la remorque sur laquelle la maison était placée pour son bref trajet, il crut apercevoir une petite fille en robe bleue à la fenêtre de l'étage, observant la scène avec appréhension. Pourtant, c'était impossible. La ferme était vide. Ce devait être la lumière qui jouait derrière les rideaux.

Le lendemain, l'article parut accompagné de la photo. Fender avait dû boucler dans l'urgence et avait pris un risque, espérant que personne ne remarquerait la petite silhouette à la fenêtre. Il se trompait.

« Nous avons reçu des centaines d'appels, dit-il ensuite. Ce genre de choses retombe en général au bout d'un jour ou deux, mais là, ça n'a pas arrêté. »

Tout le monde avait une théorie. Il s'agissait de l'âme errante d'une petite fille tombée du balcon ou victime d'un meurtre. Ou bien elle s'était réveillée de son sommeil éternel à cause des cham-boulements dans son ancienne demeure. Mais les recherches des monuments historiques ne produisirent aucun document pouvant étayer ces théories.

Fender, voulant se distancer de ces bizarreries, soumit la photo à une analyse numérique. Il la numérisa et l'agrandit dans l'espoir que l'illusion se dissipe, mais à sa grande perplexité, elle demeura clairement l'image d'une enfant en robe bleue. Personne, cependant, n'avait remarqué un détail jusqu'à ce que la photo soit agrandie : la petite fille n'avait pas de visage.

LE VISAGE DANS LES FLAMMES

L'un des fantômes les plus stupéfiants et controversés a été immortalisé par un photographe amateur anglais, Tony O'Rahilly, lors d'un incendie à l'hôtel de ville de Wem, dans le Shropshire, en novembre 1995. O'Rahilly ne remarqua rien d'inhabituel sur le coup, mais lorsqu'il développa le film, il découvrit une jeune fille se tenant dans l'encadrement d'une porte de la sortie de secours. Deux photographes professionnels (Tony Adams du *Shropshire Star* et un expert du *Daily Express*) examinèrent la photo et le négatif et déclarèrent que ce n'était pas un canular. L'un d'eux conclut que l'œuvre d'un farceur aurait été plus convaincante.

L'image fut ensuite transmise à l'ancien président de la Royal Photographic Society, le docteur Vernon Harrison, puis à un membre de l'Association de l'Étude Scientifique des Phénomènes Anormaux (ESSPA) qui affirma son authenticité. Cependant, le docteur Harrison fut troublé par le fait que la tête de la jeune fille semblait au-dessus de la rambarde de la sortie de secours, alors que son corps était placé derrière. Sa ceinture formait une ligne de part et d'autre de son corps au lieu d'entourer sa taille. L'image n'avait pas été truquée selon lui, mais il était possible que ce soit une illusion créée par des chutes de débris et des jeux de lumière. En examinant la vidéo de l'incendie, on découvrit une poutre calcinée à l'endroit où se trouvait la « ceinture » de la jeune fille, mais rien ne put expliquer l'image de son visage.

La BBC examina ensuite le cliché et le soumit aux experts du musée national de la Photographie dans le cadre d'une investigation pour l'émission *Out Of This World*. Ils soulignèrent plusieurs lignes horizontales sur le visage de la jeune fille qui, selon eux, indiquaient qu'il avait été créé sur ordinateur, mais Phil Walton de l'ESSPA répliqua qu'»apparemment, la BBC avait déjà décidé qu'il s'agissait d'un canular... Je soupçonne que ces lignes sont apparues pendant le processus utilisé pour procéder à l'agrandissement. »

En regardant de près la photo, il est difficile d'imaginer que l'image ait pu être créée par de la fumée et des chutes de débris prises au bon moment pour former un visage distinct.

DES APPARITIONS À L'ÉCOLE DE PARAPSYCHOLOGIE

Des braises brûlantes n'expliquent pas les volutes de vapeur lumineuses apparues sur plusieurs photos prises par les visiteurs au fil des années à Stansted Hall, centre de l'Union nationale spiritualiste. Ce n'est peut-être pas surprenant que Stansted bouillonne d'activités paranormales puisque c'est le siège de « l'école de parapsychologie » de Grande-Bretagne, où des télépathes expérimentés proposent des formations et des démonstrations de médiumnité. Ces manifestations ne sont pas nécessairement les fantômes d'anciens élèves, mais plutôt l'énergie résiduelle produite par les apprentis médiums qui assistent aux conférences et aux cours.

SURPRISE SUR PRISE

Bien sûr, si ces images étaient filmées, elles n'en seraient que plus convaincantes et c'est ce qui s'est produit un matin d'octobre 1991 dans une boîte de nuit du Lancashire, dans le nord de l'Angleterre. À 4 h 32, l'alarme du club a été déclenchée par l'apparition d'une silhouette fantomatique assez solide pour que les capteurs la détectent.

À son arrivée, le directeur ordonna au personnel de nuit de fouiller le bâtiment, mais il n'y avait pas de trace d'effraction et tous les employés purent rendre compte de leurs allées et venues au moment de l'apparition. Déconcerté, il demanda à visionner les bandes de vidéosurveillance. Tout le monde put voir un personnage aux allures fantomatiques bouger sans bruit dans le couloir, puis passer à travers une porte verrouillée menant à la caisse. Le phénomène n'a pas pu être expliqué.

L'ESPRIT DE LA CHAMBRE 422

« Il y a de nombreux moyens d'ouvrir les portes de la perception. Tous ne vous permettent pas de contrôler ce qui va entrer par ces portes, ni de les refermer ensuite. »

Guy Lyon Playfair, *The Indefinite Boundary*, 1976

Lorsque l'auteur de best-sellers Stephen King écrivit *Shining*, une histoire d'hôtel hanté exerçant une influence maléfique sur ses occupants, il s'inspira peut-être d'un véritable établissement, l'Holiday Inn Grand Island à Buffalo (New York).

Même si cet hôtel impressionnant n'est pas situé dans une zone montagneuse isolée comme son double de fiction, il garantit à ses clients un séjour tout aussi mémorable.

Beaucoup disent avoir entendu le bruit d'un enfant courant dans les couloirs vides et le rire d'une jeune fille résonnant dans la chambre 422. Les employés ont rapporté qu'une fillette les appelait par leur nom. Leurs tâches étaient si souvent interrompues par des actes malicieux qu'ils finirent par l'appeler affectueusement Tanya.

Les habitants de la région disent que c'est le fantôme d'une petite fille brûlée vive dans l'incendie de la maison occupant le terrain où l'hôtel a été construit, mais elle n'a pas l'air d'une âme tourmentée. Apparemment, Tanya aime faire la même chose que les autres petites filles de son âge, y compris sauter sur des lits juste refaits et cacher les produits d'entretien des femmes de chambre. Mais au cas où l'on dirait qu'il s'agit d'une astuce de marketing pour attirer les amateurs de sensations fortes, le personnel souligne

À l'exception du décor de montagnes, l'hôtel dans *Shining* aurait pu être inspiré par l'Holiday Inn de Buffalo.

que Tanya a été photographiée sous forme de lumières fantômes qu'on peut voir flotter dans les couloirs.

Curieusement, les gens n'ont pas l'air de craindre cette âme errante, bien au contraire. De nombreux clients ont manifesté leur déception en trouvant la chambre 422 déjà occupée, un problème que certains évitent en la réservant des mois à l'avance.

Le Renaissance Vinoy Hotel, un palace de St. Petersburg (Floride), fut construit pendant les années folles pour les stars de cinéma et du sport et les playboys, mais semble désormais abriter quelques clients indésirables et indisciplinés. Dans une interview pour *Haunted Baseball*, le lanceur de relève Scott Williamson de l'équipe locale de Tampa Bay, les Devil Rays, raconta à Dan Gordon la soirée de juin 2003 où il accueillit au Vinoy une équipe en visite.

Une fois couché, la lumière éteinte, Williamson jeta un œil par l'ouverture des rideaux et crut voir une lueur pâle près de la piscine. Puis une sensation de picotements électrifia tout son corps comme si quelqu'un le regardait. Il essaya de ne plus y penser et de dormir. En se tournant dans son lit, il sentit soudain une pression, comme si quelqu'un le poussait, et eut du mal à respirer. Il fit un effort pour se remettre sur le dos, mais il eut toujours l'impression qu'on était

Est-ce qu'une mystérieuse silhouette hante le Renaissance Vinoy Hotel construit pendant les Années folles à St Petersburg (Floride) ?

assis sur lui. Quand il ouvrit les yeux, il distingua une silhouette près de la fenêtre. C'était un homme vêtu d'un long manteau qui semblait sorti des années 1930 ou 1940. Il disparut.

Williamson fut si perturbé qu'il appela aussitôt sa femme qui travaillait dans un hôpital voisin pour lui demander s'il y avait une raison médicale pouvant expliquer cette pression sur sa poitrine. Il fut soulagé d'apprendre qu'il n'avait rien de physique, sans doute, puisqu'il ne souffrait d'aucun autre symptôme, mais le sentiment de malaise demeura.

Le lendemain, après une nuit agitée, il chargea un ami de faire des recherches sur l'histoire des lieux pour voir s'il y avait des raisons pour une présence fantôme. C'était le cas. L'ancien propriétaire, qui avait vécu dans la maison avant qu'elle soit convertie en hôtel, était mort dans un incendie. Il s'appelait également Williamson.

Ce ne fut pas la dernière apparition de l'inconnu de l'ombre au Vinoy.

Le lendemain, à 5 heures du matin, Frank Velasquez, le lanceur des Pittsburgh Pirates, se réveilla et vit une silhouette transparente se tenant près du bureau à la fenêtre. Il la décrivit comme étant un homme blond aux yeux bleus, portant une chemise blanche à manches longues et un pantalon kaki. Ses vêtements et sa coupe de cheveux lui donnèrent l'impression qu'il venait d'une autre époque.

Pour être sûr qu'il ne rêvait pas, Velasquez ferma les yeux quelques instants, puis les rouvrit. L'homme était toujours là. Fatigué par le voyage, Velasquez se retourna et se rendormit. Plus tard, il entendit l'histoire de Williamson qui confirma sa propre expérience.

« Le fait que tout concorde avec l'histoire de quelqu'un dont je ne savais rien me conforte dans l'idée que ça m'est bien arrivé. »

Apparemment, ce ne fut pas la seule apparition de l'inconnu mystérieux cette nuit-là. L'assistant de l'équipe se trouvait dans le hall, tentant d'introduire sa clé dans sa serrure lorsqu'un homme en costume passa sans bruit, ressemblant à un figurant d'un film d'Humphrey Bogart. Incapable d'ouvrir sa porte, il lui demanda de l'aide mais le couloir était vide.

Quand ces histoires se mirent à circuler entre les joueurs, certains décidèrent de partir et d'autres de faire la navette entre leur maison et le stade plutôt que de dormir à l'hôtel. La femme de l'un d'eux partit en pleine nuit avec ses enfants lorsque les robinets de la salle de bain s'ouvrirent à plusieurs reprises. Il y eut aussi des histoires de lumières clignotantes, de portes qui claquent, de vêtements passant mystérieusement de la penderie au lit et de câbles électriques s'arrachant des prises murales pour s'enrouler autour des appareils.

Mais l'histoire la plus troublante fut sans doute celle du lanceur des Devil Rays Jon Switzer et de sa femme, réveillés en pleine nuit dans leur chambre au cinquième étage par des grattements venant du mur derrière la tête du lit. Ils pensèrent que c'était un rat, puis se rendormirent quand le bruit cessa. Un quart d'heure plus tard, il reprit, si fort cette fois que les Switzer bondirent du lit et allumèrent la lumière.

Horrifiés et stupéfaits, ils crurent voir le tableau au-dessus de leur lit prendre vie. C'était une simple scène champêtre représentant une femme de l'époque victorienne tenant un panier de la main droite, appuyant son menton sur la gauche. Mais à présent, sa main gauche grattait frénétiquement le verre comme si elle tentait de sortir ! Switzer et sa femme sortirent de leur chambre plus vite que les personnages du dessin animé *Scooby-Doo*.

LES LANCEURS FANTÔMES

Les sportifs sont superstitieux et les joueurs de baseball le sont plus que les autres. Ils collectionnent les battes et gants porte-bonheur, voire les chaussures avec lesquelles ils ont fait un home-run. Certains ont des rituels avant chaque match, enfilent leur tenue dans un ordre particulier et refusent de changer leurs maillots usés de crainte d'interrompre un cycle de victoires, tandis que d'autres invoquent le nom de stars du sport disparues. Le baseball est imprégné par la tradition et sa propre mythologie et il n'est pas surprenant que les joueurs aient leur lot d'histoires de fantômes.

Demandez à n'importe quel joueur de citer le stade le plus hanté et il répondra Wrigley Field, la base des Chicago Cubs où les cendres de Charlie Grimm, leur manager pendant les années 1930, auraient été dispersées. Son fantôme a été aperçu par plusieurs vigiles en patrouille la nuit et il est accusé des coups de téléphone adressés à l'enclos des releveurs lorsque le bâtiment principal est vide. Dès qu'un gardien ose décrocher, il n'entend qu'un silence sinistre, mais on raconte que Charlie est à l'autre bout, donnant des ordres depuis la zone d'entraînement où il se tenait pendant le match. Le téléphone qui s'y trouve est une ligne directe et personne ne pourrait appeler de l'extérieur. De toute façon, les vigiles ont trop peur pour faire ce genre de blagues.

Wrigley grouille littéralement d'âmes de joueurs et de fans qui n'ont pas laissé la mort se mettre entre eux et le baseball. Certains supporters ont même demandé qu'on disperse leurs cendres en secret sur le terrain, ce qui peut expliquer les nombreuses balles disparaissant dans le lierre. Les propriétaires du terrain ont fini par faire appel à des experts en paranormal pour enquêter sur ces apparitions, mais leurs conclusions n'ont malheureusement pas été publiées.

Dan Gordon, co-auteur de *Haunted Baseball*, est une mine d'histoires effrayantes de fantômes, de malédictions et de légendes à propos de ce sport. Dans une interview avec Jeff Belanger de ghostvillage.com, il a raconté la légende la plus étrange découverte pendant qu'il faisait des recherches pour son livre.

« Le Dodger Stadium se trouve à l'emplacement d'une ancienne communauté mexicaine, Chavez Ravine, et du premier cimetière juif à Los Angeles, l'Hebrew Benevolent Society Cemetery, derrière les parkings 40-41, qu'on a rasé pour faire place au stade. Il est au sommet d'un plateau dominant la ville et selon la légende urbaine, un couple en voyage de noces admirant la vue depuis la colline (à l'emplacement actuel de l'extrémité sud du parking) se serait tué en tombant dans le vide. L'homme serait tombé le premier et en le constatant, sa femme aurait sauté de la corniche. Les vieux employés du Dodger Stadium racontent que de temps à autre,

on peut voir l'image d'une femme hurlant, vêtue de blanc, plongeant du haut de la falaise.

Un vendeur de souvenirs nous a parlé de sa rencontre avec 'un objet embrumé' qui lui a rappelé les histoires de la llorona de ses collègues. [Note de l'auteur : la llorona est une légende mexicaine populaire concernant une femme qui noie ses enfants et est condamnée à errer sur terre à leur recherche.] Il travaillait tard un soir, faisant l'inventaire en haut des gradins lorsqu'il jeta un coup d'œil vers le terrain et vit une formation blanche brumeuse émaner de la zone d'entraînement des lanceurs et traverser la pelouse. Il assista au même événement à plusieurs reprises pendant les vingt années passées à travailler avec l'équipe. Il nous a dit : 'Une fois, j'ai amené un pointeur laser qui me servait sur mon stand, je l'ai dirigé pour voir ce que c'était et la forme n'a pas disparu. Elle planait tout autour du terrain.'

Il a aussi entendu un enfant le suivre un soir quand il travaillait au niveau de la mezzanine. De nombreux employés du stade ont mentionné des pas fantômes (surtout les gardiens de nuit). Un vigile nous a raconté que ses collègues et lui entendent une femme en talons hauts arpenter la tribune du haut.

Ce n'est qu'une infime partie des histoires que nous avons découvertes sur le stade. Nous en avons consigné plusieurs de vendeurs travaillant dans les sous-sols du stade qui abritent des souvenirs historiques et mènent vers des tunnels creusés dans la colline. Si l'on y ajoute les légendes Hopi parlant du siège de l'une des trois cités perdues du 'peuple lézard' censé exister sous le Dodger Stadium, il règne un climat étrange dans les coulisses du baseball à Los Angeles. »

MAUVAISES ONDES DANS UN BUNGALOW
L'APPARITION DE SAN PEDRO

« Quand je vois des fantômes, ils ont l'air parfaitement réels, comme un être humain vivant. Ils ne sont pas nimbés de brume ; ils ne sont pas transparents ; ils ne portent pas de drap ou de bandages sanglants de momie. Ils n'ont pas la tête sous leur bras. Ils ont l'air de gens ordinaires, en couleurs et parfois, il est difficile de dire qu'il s'agit d'un fantôme. »

Chris Woodyard, *Haunted Ohio*

Plus d'un chasseur de fantômes amateur a quitté un site prometteur après des nuits de surveillance sans aucun résultat, si ce n'est un ou deux clichés brumeux ou une mystérieuse traînée de lumière sur la pellicule qu'on pourrait mettre sur le compte d'un halo. Barry Conrad et ses amis ont eu beaucoup plus de chance, surtout si être attaqué par un esprit maléfique est considéré comme tel. Ils ont décroché le gros lot du monde des esprits en enquêtant sur une apparition dans une banlieue de San Pedro (Californie) qu'ils capturèrent en vidéo.

Weldon est un quartier paisible avec ses rangées de petits bungalows construits au tournant du siècle précédent, en 1905. C'est le dernier endroit où l'on s'attend à trouver un rival au fantôme d'Amityville. Heureusement, Conrad, caméraman à la télé expérimenté, était là pour enregistrer ce qui se passa dans une de ces maisons un soir d'été 1989.

Barry a depuis produit une vidéo de l'investigation et parlé à la radio internet « Paranormal Café » de cette rencontre terrifiante.

« J'étais décidé à filmer le phénomène pour ne pas être accusé d'inventer une histoire de plus. Mais les manifestations ont commencé avant même que j'aie pu déballer mon matériel. La première fois qu'on est entrés dans la maison, j'ai ressenti une pression comme si j'étais sous l'eau. Je ne m'attendais pas vraiment à voir quelque chose aussi vite, et j'ai suggéré à un ami photographe professionnel qui était avec moi d'aller dans le grenier où le propriétaire de la maison aurait vu une tête sans corps. Il n'y avait pas d'échelle pour y accéder et mon ami a dû se tenir sur un bidon à lait et passer la tête par la trappe. Après quelques photos, il est redescendu et a dit qu'il avait eu l'impression d'être observé, mais peut-être était-ce dû aux histoires qu'il avait entendues au sujet de la maison. Il en plaisantait et je l'ai encouragé à remonter et prendre d'autres clichés, cette fois par-dessus son épaule, là où il avait ressenti la présence. Il pensait que c'était une perte de temps et l'a fait pour moi. Un instant plus tard, nous l'avons entendu crier. Il a dévalé les escaliers et tremblait. Le sang s'était retiré de ses mains. Une fois calmé, il nous a dit qu'il allait prendre la troisième photo lorsque quelque chose ou quelqu'un lui a arraché son appareil ! Il était parti en le laissant et avait trop peur d'y retourner pour le récupérer. Je ne l'aurais pas cru si je n'avais pas vu l'effet que l'incident

avait eu sur lui. Il était terrorisé. J'ai compris à cet instant qu'il se passait quelque chose. »

Tandis que Jeff reprenait son souffle, Barry alla chercher son équipement vidéo dans la voiture, dont des lampes puissantes et un générateur. Quand il s'approcha du grenier avec Jeff, sa caméra était en marche, mais dès qu'il passa la tête par la trappe, sa batterie tomba à plat et l'appareil s'éteignit. Mais l'éclairage illumina tout le grenier. Ils purent voir que le plancher avait du jeu et aurait fait du bruit si un mauvais plaisant s'était caché là. Il n'y avait de toute façon pas moyen d'éviter l'éclat aveuglant du projecteur. Ils constatèrent que l'objectif de l'appareil avait été retiré et laissé là où Jeff avait senti la présence, mais l'autre partie était placée sur une caisse à l'autre bout du grenier ! Pendant que Jeff tentait de remettre l'objectif en place avec ses mains tremblantes, Barry s'aperçut qu'une « odeur nauséabonde » semblable à celle d'un cadavre en décomposition envahissait la pièce. Il était temps de sortir.

En redescendant, Barry remarqua que le voyant de sa caméra était à nouveau vert, ce qui signifiait que la batterie était rechargée. Il se tourna vers Jeff dont le visage était déformé par une expression d'horreur. Il ne pouvait pas dire un mot. En sécurité sur le palier, Jeff balbutia qu'il avait eu trop peur pour parler. Il avait senti une longue main osseuse dans son dos. Alors que les deux hommes tentaient en vain de comprendre ce qui leur était arrivé, ils entendirent un bruit de pas dans la pièce vide au-dessus d'eux. Selon Barry, on aurait cru qu'un rat géant courait sur le plancher. Heureusement, le bruit et les réactions horrifiées des enquêteurs furent immortalisés par la caméra.

Ayant repris ses esprits après un moment, Jeff accepta de jeter un nouveau coup d'œil par la trappe. Il vit alors ce qu'il décrivit comme une « masse noire » bougeant d'un côté à l'autre du grenier dans la semi-obscurité. Ce fut la goutte d'eau pour Jeff qui refusa de rester dans la maison une seconde de plus. Barry employa des trésors de persuasion pour qu'il soit près de lui pendant qu'il filmait une interview avec la propriétaire, Jacqui Hernandez.

Ils furent interrompus par une panne de courant.

Ce soir-là, dans l'appartement de Barry, Jeff se réveilla en hurlant que quelqu'un se tenait derrière lui et fut impossible à calmer. « C'était effrayant », a raconté Barry, avec son sens habituel de la litote. Il attendit un mois avant d'avoir assez de courage pour retourner dans la maison et le fit lorsque Jacqui l'appela à l'aide au milieu de la nuit. Ses paroles exactes furent : « C'est un enfer. » Apparemment, elle se trouvait dans sa cuisine quand la porte du frigo s'ouvrit toute seule et la capsule d'une bouteille de Pepsi se dévissa, l'aspergeant de soda. Elle referma la porte qui se rouvrit. Elle affirma alors être attaquée par une entité invisible qui la cloua au sol. Elle dut rassembler ses forces et sa volonté de protéger ses enfants pour s'en libérer.

Quarante-cinq minutes plus tard, Barry se gara devant le bungalow et vit Jacqui sur la pelouse avec son bébé dans un bras, son petit garçon accroché à son autre main.

« Elle pensait que nous venions la sauver, se souvient Barry, mais nous sommes sortis du van avec nos caméras et nos éclairages comme l'équipe de S.O.S. Fantômes. »

Pour l'occasion, Barry était venu avec des renforts, en l'occurrence son ami Gary, un « sceptique né » s'intéressant à l'aspect scientifique du paranormal, sur lequel il pouvait compter pour trouver une explication rationnelle avant d'envisager le surnaturel.

Tout était trop calme dans la maison, ce qui ne dura pas. Gary, au courant de la rencontre faite par ses amis, voulut explorer le grenier et persuada Jeff de l'accompagner. Barry resta dans la buanderie sous la trappe, accroché à sa caméra vidéo à 15 000 dollars qu'il voulait protéger après ce qui était arrivé au 35 mm de Jeff. Dès que ses amis entrèrent dans la pièce, il vit un « globe rougeâtre » en descendre et disparaître dans le mur derrière lui. Pensant que c'était un effet de flash, il appela les deux autres qui lui dirent n'avoir pas pris de photos. Ce fut au tour de Barry de se sentir observé par la porte ouverte de la salle de bain à sa droite. Il entendit un grognement dans le grenier et un bruit de lutte. Barry enregistra ces sons suivis d'une pause sinistre pendant laquelle il appela ses amis, sans réponse.

Ils finirent par émerger, pâles et tremblants, dans la buanderie. Jeff se massait la gorge, marquée de profondes zébrures rouges. Dans l'obscurité, quelque chose l'avait empoigné, enroulé une corde à linges autour de son cou avant de l'accrocher à un clou fixé aux chevrons.

Si Gary n'était pas venu le décrocher, il aurait été la première victime d'un lynchage spectral. Jeff avait bien failli y rester. Pendant que Gary tentait de le soulever par la taille pour détendre la corde, l'entité tirait sur les jambes de Jeff pour resserrer le nœud. Gary finit par tordre le clou à mains nues. Jeff s'était évanoui et reprit connaissance en sentant qu'on tirait sur ses pieds. Aussi incroyable que cela semble, les preuves, des marques profondes sur le cou de Jeff, furent immortalisées par la vidéo.

Pendant que Gary tentait de soulever son ami par la taille pour détendre la corde, l'entité tirait sur les jambes de Jeff pour resserrer le nœud.

« Tout avait commencé comme un jeu pour se faire peur, se souvient Barry, puis nous avons réalisé que c'était vraiment dangereux. »

Personne ne se souvenait d'avoir vu la corde dans le grenier. Lors de leur inspection initiale, il était vide à l'exception de la caisse et d'un peu de bric-à-brac. S'il y avait eu une corde, elle n'était pas fixée au mur. Plus surprenant encore, elle avait été passée plusieurs fois autour du cou de Jeff et fixée au clou par un nœud de chaise utilisé dans la marine. Weldon est une ville côtière et il est possible que la maison ait pu être habitée par un marin. Jacqueline et ses enfants déménagèrent loin de ce quartier, mais ce ne fut pas la fin des phénomènes surnaturels. Son amie, Susan Kastenedaz, appela Barry et ses amis pour inspecter sa maison construite près d'un cimetière. C'était une demeure datant de la même période conçue par son propriétaire d'origine, John Damon. Pendant que Barry filmait à l'extérieur, une barrière s'ouvrit toute seule. Plus tard, Barry et Susan visionnèrent les images et virent une lumière sortant par la porte d'entrée et laissant une traînée à travers le jardin jusqu'à la barrière. Comme le dit Barry, il n'y a pas de lucioles en Californie du Sud et la façade de la maison était plongée dans l'ombre pendant qu'il tournait. Lorsqu'il retraça le chemin jusqu'au portail, il menait au cimetière et disparut dans le sol à l'emplacement de la tombe de John Damon.

JOURNAL D'UNE APPARITION

Starr et Jessi Chaney, une mère et sa fille « chasseuses de fantômes certifiées » de Nicholasville (Kentucky), ont tenu un journal de leurs expériences dans leur maison hantée à partir de l'été 2005. Ces courts extraits, reproduits ci-dessous, donnent une idée de ce que c'est que vivre avec la peur et la fascination des phénomènes paranormaux spontanés.

Vous pouvez imaginer à quel point nous étions excitées d'acheter notre première maison ! Nous avons obtenu le prêt le jeudi précédant Memorial

Day. Quand nous étions avec l'ancienne propriétaire, elle nous a raconté que son premier mari était mort ici quelques années auparavant, que c'était un homme charmant et nous n'y avons pas prêté plus d'attention que cela. Nous avons pensé que s'il était toujours là, il la suivrait dans sa nouvelle demeure avec son deuxième mari. Nous avons emménagé pendant le week-end et avec tout le remue-ménage, nous n'avons pas remarqué sa présence avant plusieurs jours.

Ma première expérience avec George a eu lieu dans la salle de bain principale. Je suis passée devant la porte ouverte et j'y ai vu un homme. Il m'a fallu un moment pour réaliser que mon mari n'était pas à la maison et je suis vite revenue sur mes pas… pour m'apercevoir, bien sûr, que la silhouette avait disparu. Mes filles l'ont vu ici plusieurs fois également. Il n'est pas effrayant, c'est le choc initial qui vous surprend.

J'ai vite compris que nous avions un autre invité chez nous, un jeune homme, cette fois. Mes recherches ne m'ont pas indiqué d'autres morts dans la maison et nous ne sommes pas sûrs de son identité exacte. Nous pouvons affirmer qu'il aime rire, il n'y a pas de doute. Il imite nos voix et nous arrivons en croyant qu'un des membres de la famille nous appelle. Je ne sais pas combien de fois j'ai entendu 'maman !' venant de l'avant de la maison (où se trouvent les chambres de mes filles) et accouru pour les trouver endormies ou devant la télé, interloquées par mon entrée précipitée. Parfois, Jessi et Nicki ont passé la tête dans mon bureau en disant 'quoi ?'. Sans comprendre, je réponds 'quoi, quoi ? Je n'ai rien dit'. Bref, on ne s'ennuie jamais !

Nous ne savons pas lequel des deux aime ouvrir les placards de cuisine. Pendant près d'un an, ça m'a rendue folle et je grondais Jessi et Nicki… jusqu'à ce jour, où, seule à la maison, je suis allée dans la cuisine pour boire. Bien sûr, tous les placards étaient ouverts et j'ai marmonné, pris mon verre et refermé les portes. Après avoir bu, je suis repartie dans mon bureau. Une heure après, je suis retournée dans la cuisine pour préparer mon déjeuner et j'ai constaté que tous les placards étaient encore ouverts ! Je me suis promis de m'excuser auprès de mes filles quand elles rentreraient, j'ai préparé à manger et quitté la pièce.

L'expérience qui m'a le plus secouée a eu lieu un soir en 2004. Je travaillais sur l'ordinateur, mettant à jour mon site de bougies et il était presque 3 heures du matin. J'avais passé une semaine mouvementée et c'était le seul moment où je pouvais m'en occuper. Mon mari avait renoncé depuis longtemps à me faire venir au lit et s'était endormi. Je voulais absolument terminer et je ne faisais pas attention à ce qui se passait autour de moi... jusqu'à ce que je sente une main sur mon épaule. J'ai aussitôt cru que c'était mon mari venant se rappeler à moi et j'ai dit : 'Je sais qu'il est tard, chéri, mais il faut vraiment que je finisse ça. Je viens me coucher dans un...' Je me suis retournée et je n'ai vu personne. Au même instant, il y a eu une voix venant de cette zone, résolument masculine ; j'ai entendu une syllabe puis elle s'est tue. J'ai aussitôt sorti mon dictaphone et commencé à poser des questions, mais le moment était passé. Mon visiteur n'avait plus rien à dire... et mon cœur battait la chamade !

Nous avons pris quelques photos avec des orbes, mais rien d'extraordinaire comme une brume ou un ectoplasme. Et même si nos invités aiment parler, apparemment, ils n'ont pas envie d'être enregistrés puisqu'ils n'ont jamais produit de phénomène de voix électronique. Mais ça ne nous empêche pas d'essayer !

Samedi 25 juin 2005 – *Nicki avait subi une opération des amygdales le jeudi précédent et se trouvait dans ma chambre avec moi pour regarder la télé. J'avais baissé le son et Nicki m'écrivait un petit mot (elle avait encore du mal à parler). Depuis mon bureau, juste à côté de la chambre, j'ai entendu quelqu'un frappant à la porte (celle du bureau qui était fermée). Nous avons échangé un regard, on aurait vraiment cru que quelqu'un frappait. Je me suis levée pour voir, même si je savais que nous étions seules dans la maison... Bien sûr, il n'y avait personne.*

Mercredi 29 juin 2005 – *Encore une imitation. Nicki est entrée dans mon bureau en me demandant ce que je voulais ; je n'avais rien dit. Il n'y avait que nous deux dans la maison.*

Lundi 1er août 2005 – *Mon anniversaire ! J'étais à la maison avec Nicki et nous avons entendu un bruit dans mon bureau. Quand nous sommes allées voir, quatre de mes moules à bougies étaient par terre. Ils étaient rangés dans une boîte sur une étagère auparavant. Je suppose qu'on voulait me souhaiter un joyeux anniversaire !*

Dimanche 14 août 2005 – *Toute la famille était dans le salon avec nos deux chiens (Malachai et Belle) puisqu'il pleuvait. On était en train* de discuter lorsqu'on a entendu une voix venant de l'entrée de la pièce disant « Toutou ! » Elle n'avait pas l'air masculine, donc nous avons peut-être un fantôme de plus ici.

Lundi 5 septembre 2005 – *Nous avons invité des amis pour un barbecue pendant le week-end férié. Une fois attablés, nous avons tous entendu un craquement venant de l'autre bout de la cuisine. Quand nous avons regardé, l'une des portes de placard s'ouvrait lentement toute seule.*

Jeudi 6 octobre 2005 – *Une autre imitation vocale. Ed jure qu'il m'a entendu l'appeler alors qu'il était dans le salon. J'étais dans mon bureau, devant mon ordinateur et je n'avais pas dit un mot.*

Jeudi 13 octobre 2005 – *Nous avons dîné dehors et en rentrant, j'ai trouvé plusieurs de mes paquets d'encens sur mon bureau... Je les avais laissés sur une étagère de l'autre côté de la pièce.*

Mardi 31 octobre 2005 – *J'étais seule chez moi dans la journée occupée à préparer les festivités du soir quand j'ai vu un homme entrer dans notre chambre. J'ai sursauté, mais je me suis dit qu'Ed avait dû revenir plus tôt. Quand je suis allée voir, il n'y avait personne.*

Dimanche 27 novembre 2005 – *Jessi, Nicki et moi étions dans ma chambre en train de regarder un film sur le lit lorsque quelque chose a cogné dessus assez fort pour le faire trembler. C'est un waterbed massif, le sol est recouvert de moquette et en dessous, il y a une dalle de ciment.*

Jeudi 12 janvier 2006 – *Encore une imitation vocale. J'ai clairement entendu la voix de Jessi depuis notre chambre, me demandant de venir. Quand j'y suis allée, j'ai trouvé la pièce vide. Jessi était dans sa chambre.*

Mercredi 22 mars 2006 – *Alors que j'étais seule à la maison, je suis allée dans la cuisine pour préparer le déjeuner et toutes les portes des placards étaient ouvertes. Elles étaient fermées après le petit déjeuner.*

Mercredi 17 mai 2006 – *Anniversaire de Nicki. Nous avons remarqué l'odeur du parfum Old Spice dans la maison, alors qu'il n'y en a même pas une bouteille ici. Mon père en portait dans les grandes occasions et je suis sûre qu'il est venu souhaiter un bon anniversaire à sa petite-fille.*

Juin à novembre 2006 – *L'activité dans la maison s'est vraiment décuplée, il se passe quelque chose chaque jour. Le plus souvent, des objets sont déplacés, les placards sont ouverts et fermés et on aperçoit des gens. Nous avons vu plusieurs fois quelqu'un passer devant la « fenêtre » au-dessus de l'évier dans la cuisine et regarder à l'intérieur. Nous entendons qu'on ouvre et referme les placards comme si quelqu'un cherchait quelque chose, mais dès qu'on vérifie, il n'y a personne.*

14 août 2007 – *Nos fantômes ont été plutôt inactifs pendant la première partie de l'année, nous avons même cru qu'ils n'étaient plus là… Et ils nous ont prouvé le contraire ! Jessi, Nicki et moi étions dans ma chambre à regarder des films et manger du pop-corn allongées sur le lit quand nous avons entendu une porte s'ouvrir. Il y a eu ensuite des bruits de pas passant du salon à la cuisine et celui des placards qu'on ouvrait. Nous avons cru qu'Ed était rentré, mais Nicki a vérifié et il n'y avait personne d'autre que nous à la maison.*

13 septembre 2007 – *Aujourd'hui, alors que nous nous préparions pour l'émission de radio, Jessi a cru voir Ed entrer dans la chambre. Elle a demandé s'il était là et j'ai répondu que non. Naturellement, il n'y avait personne dans la chambre.*

1ᵉʳ octobre 2007 – *Les affaires ont vraiment repris ! Depuis une semaine, chaque jour, les portes des placards près de la chambre et ceux de la salle de bain s'ouvrent toutes seules. Nous les refermons soigneusement. Jessi et moi étions dans la chambre quand la porte de la salle de bain s'est ouverte pour la première fois et nous n'avons vu personne, pas même un animal à proximité. À chaque fois que ça s'est reproduit, nous avons entendu le bruit d'une poignée qu'on tournait, puis la porte s'ouvrait.*

La plupart des gens auraient vendu la maison et déménagé à la suite de ces incidents, mais Starr, son mari Ed et leurs filles étaient fascinées par ces phénomènes. Ils ont fondé une organisation baptisée PsyTech pour enquêter sur des cas similaires et organiser des visites de sites hantés dans leur État. Les affaires marchent bien et la famille a été dépassée par les demandes d'apprentis chasseurs de fantômes au point de proposer des cours intensifs d'une journée pour former les gens aux investigations paranormales.

DEAD FAMOUS

« Tous, tant que nous sommes, nous avons une si misérable peur de la lumière ! »

Henrik Ibsen, *Les Revenants*

La rock star Liam Gallagher pense qu'il est hanté par John Lennon.

LE FANTÔME DE LENNON

La rock star Liam Gallagher, ex-membre du groupe Oasis, vivrait dans la crainte d'un fantôme qui hante sa maison luxueuse de Londres.

Dans une interview à un journal anglais, un de ses amis a confié que Liam avait du mal à dormir parce qu'il croit être hanté par l'ancien Beatle John Lennon, assassiné en 1980.

« Il reste éveillé avec la lumière allumée. Parfois, il se réveille et a l'impression d'être observé par une présence surnaturelle. »

On pourrait imaginer que Liam apprécierait de discuter avec son héros musical, mais il a l'air de redouter d'être poursuivi par cette âme errante.

« J'étais à Manchester chez un copain », a confié Liam à un ami après sa première rencontre avec le fantôme de Lennon durant un voyage astral. « Je me suis retourné et il était là, couché sur le lit et je suis plus ou moins retombé dans mon corps. Il y avait une présence et c'était bien lui, Lennon. »

Les cyniques diront que ce type d'expérience est souvent provoqué par un abus d'alcool et de produits illicites, tandis que les critiques musicaux affirmeront que Lennon est venu réclamer sa part de royalties sur les nombreux morceaux que les frères Gallagher ont pillés aux Beatles.

À LA RECHERCHE DE SINATRA ET D'AUTRES ÂMES CÉLÈBRES

Des émissions sur le thème du surnaturel sont devenues un succès d'audimat ces dernières années, mais malheureusement pour les producteurs, les fantômes détestent être pris en photos et les phénomènes paranormaux ne se manifestent pas sur commande. Peu importe le talent des télépathes, ils ne peuvent pas garantir les frissons que les téléspectateurs demandent, ni les preuves que les scientifiques et les parapsychologues espèrent.

Prenons le cas du télépathe professionnel Chris Fleming. Chris est co-présentateur de l'émission anglaise *Dead Famous*, le plus récent des reality shows qui enquêtent sur des phénomènes d'apparitions et livrent leurs conclusions aux téléspectateurs. Chris est accompagné par Gail Porter, une sceptique autoproclamée pour tout ce qui touche au surnaturel. En réalité, leurs investigations se limitent à quelques mots échangés avec les connaissances de célébrités disparues et le personnel qui travaille désormais sur les sites où elles ont vécu. Puis les lumières s'éteignent pour une veillée dans une pièce sombre avec une caméra vidéo et des plans sur les présentateurs prenant l'air effrayé et parlant « d'énergie résiduelle ».

Leur premier sujet était Frank Sinatra. Alors qu'ils s'embarquaient pour Las Vegas, Gail se demanda quelle facette de Sinatra serait dévoilée : le showman charmeur ou l'ami de la mafia ? Ce n'était clairement pas une enquête sérieuse, mais un divertissement de plus avec un thème paranormal.

Le premier jour, ils rencontrèrent Tony Oppedisano, un « ami personnel » de Sinatra qui livra ses impressions sur le chanteur, se résumant à dire qu'il était « un homme très compliqué ». Il semble que Frank croyait en la réincarnation, ce qui n'était pas une bonne nouvelle pour nos « Mulder et Scully », puisqu'il risquait de ne pas traîner dans ses anciens repaires. Mais Tony était certain que Frank le protégeait et que sa forte personnalité hantait le Golden Nugget, l'hôtel et casino qu'il avait considéré comme sa seconde maison. Sinatra y avait une suite au cinquième étage et là, Chris ressentit « une forte énergie », mais ne put identifier sa source.

Dans la suite luxueuse, il éteignit les lumières et alluma une bougie tout en demandant à Sinatra de les honorer de sa présence. S'adressant à la caméra dans le noir, il fut réduit à dire des banalités comme « quelque chose s'est passé », agaçant sans doute le crooner qui aurait répliqué par un bruit d'ongles grattant à la fenêtre, impossible à entendre pour le téléspectateur. À moins que ce ne soit que le producteur voulant prendre la fuite.

STRANGER IN THE NIGHT

Le deuxième jour, après avoir partagé ses « expériences » dans la suite de Sinatra, le duo partit pour le Polo Lounge, un bar chic sur les rives du lac Tahoe. Il s'arrêta en route à la Thunderbird Lodge,

Sinatra sur scène avec Sammy Davis Jr et Jerry Lewis au Golden Nugget.

un repaire à playboys dans les montagnes avec une pièce secrète où Frank jouait aux cartes avec ses copains et aurait rencontré des figures du milieu censées avoir guidé sa carrière.

Mais en dépit de sa très forte personnalité, Frank refusa une fois encore d'apparaître, même si dans le hangar à bateaux, « quelque chose » mit à plat les batteries de la caméra de Chris et le repoussa alors qu'il explorait la chambre de l'ancien propriétaire. On se demande pourquoi une personnalité aussi imposante que Sinatra aurait raté l'occasion unique de faire son grand retour sur les écrans. De quoi remettre presque en question votre croyance dans les fantômes ou leurs chasseurs.

Pour le troisième jour, notre intrépide duo et son équipe se rendirent à Calneva, l'ancienne résidence de Frank à la frontière entre la Californie et le Nevada. Elle était construite sur une terre sacrée indienne, ce qui peut expliquer le phénomène qui terrifia le personnel pendant des années.

Au cours d'une visite guidée, Chris et Gail apprirent que les employés considéraient certaines zones de l'hôtel interdites et constatèrent les dégâts sur la grande baie vitrée du salon qui se fendille mystérieusement quand personne ne regarde.

Quant à la télé qui s'allume toute seule dans l'un des bungalows d'invités, le duo dut se contenter de la parole du guide, mais dans l'esprit de Chris, cela ne faisait aucun doute qu'il régnait là « une forte présence ». Surtout lorsqu'on lui dit que Marilyn Monroe avait souffert d'une overdose dans cette pièce.

Si seulement le producteur de l'émission ou le guide avait pensé à tester les dons de Chris en l'emmenant dans un bungalow où rien de suspect ne s'était produit pour voir s'il avait la même impression après avoir entendu cette anecdote…

Ce soir-là, conscient de n'avoir rien trouvé qui justifie ses frais de déplacements ou la patience des téléspectateurs, Chris participa à une séance de spiritisme au Celebrity Showroom, un théâtre privé où Sinatra et ses complices se produisaient pour leurs amis.

Visitant les lieux avant l'événement, Chris ne put faire qu'une vague observation de plus, en l'occurrence : « Il y a résolument une forme d'énergie ici. »

Comme l'a remarqué la parapsychologue et observatrice impartiale Janice Oberding : « Il est très facile de se convaincre qu'on ressent quelque chose lorsqu'on réunit ce genre de groupe », faisant allusion à ces gens qui croient aux esprits et se rassemblent pour entendre « quelque chose ».

Si c'est ce qu'ils voulaient, Chris ne les a pas déçus. Il murmura qu'il avait « vraiment froid » et tomba dans une transe où il affirma sentir l'âme de Frank, mais aussi le voir « à l'extrémité d'un long tunnel ». Il dit avoir été possédé par l'esprit de Sammy Davis Jr, mais ne prononça pas un mot avec la voix de ce dernier, n'imita pas le moindre de ses gestes, du moins dans les extraits diffusés.

Puis, au moment le plus fort de son numéro, il canalisa l'esprit d'un Indien et lorsqu'il lui demanda de « communiquer » avec un autre membre du cercle, il ne put produire qu'une litanie incohérente, même si, une fois encore, on ne peut juger qu'à travers les images diffusées dans l'émission.

Que Chris soit ou non un vrai télépathe n'est pas la question. Il peut très bien l'être, même s'il n'offre pas de preuve convaincante dans cette émission et semble trop souvent détaler au moindre signe d'un revenant. Pourquoi inviter un voyant dans un prétendu site hanté s'il s'en va à la première manifestation paranormale ?

Ce n'est pas comme si un esprit s'était manifesté ou avait fait voler des objets. On ne peut donc voir que Chris affirmant avoir senti « quelque chose » avant de partir sans chercher de quoi il s'agit ! Les vieilles dames qui pratiquent la médiumnité dans les églises spiritualistes à travers le pays ont plus de courage que lui.

L'équipe de *Dead Famous* ne livre rien de consistant pouvant appuyer la croyance de la vie après la mort, hormis de vagues sentiments de peur dans le noir. Tout est si superficiel que s'il s'agissait d'une voyance en face-à-face, on serait en droit de demander à être remboursé. L'émission a pu sembler géniale pour les directeurs de la chaîne, mais les « investigations » de ce genre donnent une mauvaise réputation aux chasseurs de fantômes.

C'est un spectacle franchement embarrassant. Si l'on veut voir une démonstration sérieuse de communication avec les esprits, il vaut mieux se tourner vers les télépathes américains John Edward et James Van Praagh en direct devant un public en studio ou le fascinant « parapsychologue de rue » anglais Tony Stockwell et son collègue Colin Fry. Tous ces présentateurs proposent des voyances à froid spontanées et incroyablement précises à de parfaits inconnus qui confirment ensuite les détails.

On ne peut pas dire que *Dead Famous* a contribué à prouver l'existence des revenants et des esprits, mais tout au plus à satisfaire l'appétit du public pour les célébrités et le surnaturel.

PARANOMAL INVESTIGATIONS INC
INTERVIEW DE LOYD AUERBACH

Loyd Auerbach est le directeur du Bureau des Investigations Paranormales et l'auteur de plusieurs études sur le sujet, qualifiées de « livres sacrés » sur les fantômes par le magazine *Newsweek*. Le professeur Auerbach a également enseigné la parapsychologie et les thèmes apparentés pendant plusieurs années à New York et San

Francisco et a une maîtrise sur le sujet de la JFK University (1981). Ses qualifications lui permettent de mener des enquêtes approfondies et professionnelles.

Qu'est-ce que le Bureau des Investigations Paranormales et quels sont ses objectifs et ses réalisations à ce jour ?

Le Bureau des Investigations Paranormales (BIP) est dédié à la recherche scientifique et la compréhension d'événements spontanés de phénomènes parapsychiques. Fondé en 1989 par Loyd Auerbach et Christopher Chacon, c'est essentiellement un développement du programme de parapsychologie alors défunt de la John F. Kennedy University en Californie du Nord. À sa création et depuis, le BIP en tant que groupe se compose d'enquêteurs parapsychologues, de chercheurs et de consultants, ainsi que de télépathes intéressés par des expériences d'exploration et des situations que certains peuvent considérer comme paranormales, extrasensorielles, spirituelles ou liées à ces notions. Ses premiers domaines d'investigation comprennent des visions de fantômes, des événements inhabituels dans des maisons ou des bureaux ou tout lieu où des personnes ont eu l'impression d'être hantées, ainsi que les cas de poltergeists où des effets physiques inexpliqués et des mouvements d'objets ont été rapportés. Le BIP s'intéresse à d'autres formes de phénomènes, comme tout ce qui a été placé sous l'étiquette de « perception extrasensorielle » et de « perception étendue » (dont la préconnaissance, la voyance et la télépathie), la psychokinésie (l'esprit sur la matière), la guérison psychique, la réincarnation, les expériences de mort imminente, le voyage astral, la transe, la médiumnité et d'autres pratiques paranormales.

Le personnel du BIP enquête sur les problèmes qu'on lui soumet, en cherchant avant tout des explications normales, puis propose des conseils et des services pour gérer le phénomène ou les expériences. S'il est effectivement impossible de prouver l'existence de phénomènes paranormaux dans ces situations étant donné l'avancement actuel de la science et de la technologie, les enquêteurs du BIP sont parvenus à aider les gens à comprendre ces expériences et, si nécessaire, à éliminer ces manifestations. Il offre une investigation approfondie de ces cas et une compréhension de ce qui se produit vraisemblablement, mais nul ne peut garantir l'élimination des phénomènes.

En réalité, la principale contribution du BIP est d'apporter une aide renseignée, crédible et éthique à toute personne pensant avoir des problèmes d'ordre paranormal.

Outre les investigations de ces cas et lieux spécifiques, le BIP offre ses services de consultant aux médias, chercheurs scientifiques et hommes d'affaires qui désirent consulter des médiums, aux avocats impliqués dans des procès ayant un élément surnaturel ou souhaitant faire appel à un télépathe pour sélectionner un jury ainsi qu'aux représentants de l'ordre qui envisagent d'employer un parapsychologue pour une enquête difficile.

Comment conciliez-vous votre rôle d'enquêteur sérieux de phénomènes paranormaux avec vos activités professionnelles de médium médiatisé et pouvez-vous expliquer ce que cela implique ?

J'ai débuté dans la magie après avoir suivi un cours sur « le mentalisme et la fraude au paranormal » enseigné dans le cadre du programme de parapsychologie à la John F. Kennedy University.

Une fois dans ce domaine, j'ai été encouragé par mes nouveaux collègues à approfondir mes savoirs, vivre de vraies expériences et affiner mon expertise en magie et mentalisme, puisqu'on reprochait souvent aux chercheurs de n'en avoir qu'une connaissance superficielle.

Pendant les années 1980-90, j'ai affiné ma maîtrise du mentalisme, me livrant à des actions dans la veine de la télépathie, de la prédiction et de la victoire de l'esprit sur la matière. J'ai obtenu plus de résultats avec cette forme de spectacle qu'avec la magie traditionnelle et mieux compris la façon dont les gens perçoivent certaines choses comme paranormales.

Votre connaissance de la lecture à froid et autres pratiques de divination vous permet-elle de démasquer des médiums frauduleux et d'identifier de fausses histoires de fantômes ?

La maîtrise de la lecture à froid ne m'assiste pas dans les investigations, ni les « fausses » histoires de fantômes, mais elle sert à évaluer de prétendus télépathes.

Une plus grande connaissance des arts de la magie et du mentalisme m'a résolument aidé, me permettant de comprendre comment les gens interprètent, comprennent et classent à tort des événements ordinaires (quoique rares) comme étant paranormaux. Autrement dit, une meilleure compréhension de la psychologie de la tromperie et de la mauvaise perception.

En outre, elle m'a aussi appris l'évaluation, car il y a de multiples explications possibles pour tout incident, qui doivent être vérifiées avant d'arriver à une conclusion. Il existe plusieurs façons de scier une femme en deux, retrouver une carte dans un jeu ou faire léviter un objet.

Oui, c'est évident que ce savoir – et plus encore mon expérience dans le spectacle – me permet d'identifier les imposteurs. Mais lorsqu'il s'agit de repérer les fausses histoires de fantômes – et là, je suppose que vous parlez de mensonge délibéré – ma connaissance de la parapsychologie m'est très précieuse.

Quelle est votre investigation la plus fascinante en matière de fantôme ou de poltergeist et qu'a-t-elle révélé sur la nature du phénomène ?

Pour moi, l'enquête la plus passionnante a été une affaire d'apparition (à distinguer d'un poltergeist ou d'une histoire de fantôme) concernant une famille qui voyait parfois l'ancienne propriétaire de sa maison. Le fils apparemment avait plus d'expérience et aurait conversé au quotidien avec le fantôme.

L'investigation m'a donné l'occasion de passer un moment avec une « revenante ». Le garçon de 12 ans seulement m'a servi d'interprète et fourni des détails sur sa vie et sa famille (corroborés ensuite), puis m'a permis de l'interviewer sur son expérience de la mort, sur son existence en tant qu'esprit et lui demander pourquoi, à son avis, les fantômes portent des vêtements, peuvent être vus à des âges différents, faire ou non bouger des objets, etc.

Cette affaire, et d'autres depuis, m'a convaincu que, dans certains cas, les gens restent là après la mort en tant que conscience flottant librement et capable d'interaction. Mais surtout, il est clair que nous ne changeons pas de personnalité après la mort. En résumé, les fantômes sont aussi des personnes.

Pouvez-vous parler de votre investigation sur l'apparition de l'USS Hornet, un porte-avions de la Seconde Guerre mondiale à Alameda (Californie) ?

L'USS Hornet est un ancien porte-avions avec un passé honorable. Il a été retiré de la circulation au début des années 1970. En 1995, on l'a fait accoster à l'Alameda Air Naval Station qui venait de fermer pour qu'une nouvelle fondation commence à le remettre en état et le transformer en musée en 1998. Peu après le début des réparations, les volontaires ont assisté à des apparitions de marins et d'officiers. Ils ont entendu des bruits de pas et de voix quand il n'y avait personne à bord, aperçu de mystérieux officiers et des recrues (qui disparaissaient tout aussi vite) et expérimenté des sensations de changements de température, de vent dans des espaces clos et de présences (voire de contacts).

En 1999, nous avons débuté notre enquête à la demande du médium Stache Margaret Murray, qui avait déjà travaillé avec de nombreux témoins des incidents à bord de l'Hornet. Lors de visites occasionnelles au cours des années suivantes, nous avons parlé à des dizaines de témoins et identifié plus de 25 endroits sur le bateau où l'activité se concentrait. J'ai eu mes propres expériences à bord.

L'un des aspects les plus étranges de l'affaire de l'USS Hornet est qu'à plusieurs reprises, plus d'une personne (et dans un cas, cinq) ont vu le même marin ou officier au même moment et, parfois, les témoins ont assisté à trois apparitions à la fois. D'après les descriptions, il semblerait qu'il y ait eu plusieurs dizaines de manifestations de ce type à bord. Il est quasi certain qu'il ne s'agit pas des fantômes de personnes disparues à bord, puisque l'Hornet a eu une faible mortalité au cours de son histoire. Sans parler du fait que les ouvriers qui ont entretenu le vaisseau au cours de ses vingt années passées dans un chantier naval affirment qu'il n'était pas hanté à l'époque (à l'inverse d'autres navires dans le même site).

Nous pensons, comme d'autres témoins, que ce sont les âmes des hommes qui ont servi à bord avant de mourir à la retraite une fois le vaisseau retiré de la circulation.

Les vivants à bord ont dit croire que les fantômes étaient là pour aider le vaisseau à continuer à exister en tant que musée.

Nous avons filmé les interviews de nombreux témoins et produit un petit film, *The Haunting of the USS Hornet, v. 1*, toujours disponible sur mon site internet. Nous sommes en train de monter un documentaire plus approfondi sur la question.

Le musée est ouvert au public à Alameda. Les histoires de fantômes continuent à arriver, mais nos investigations sur place sont moins fréquentes pour diverses raisons.

L'USS Hornet est un ancien porte-avions datant de la Seconde Guerre mondiale.

Pouvez-vous nous parler de votre travail avec le médium Annette Martin en rapport avec les fantômes ?

Annette Martin est une télépathe confirmée avec des décennies d'expérience qui lit les cartes, mais a également travaillé avec la police dans des affaires d'homicides et de personnes disparues et participé à des recherches sur le diagnostic psychique de maladies (avec un médecin). En outre, elle a des dons de médium et j'ai travaillé avec elle sur plusieurs enquêtes depuis le début des années 1990.

Elle a montré sa capacité de communiquer avec des apparitions et de leur servir de conseillère. Dans certains cas, elle a pu démêler l'empreinte historique, nous fournir des informations vérifiables (mais pas toujours, car certaines archives ne sont pas assez complètes pour cela).

À l'inverse de nombreux télépathes, elle sait qu'il faut commencer par éliminer les explications rationnelles et participe au processus. Elle désire qu'on remette en question ses perceptions afin de voir si elles s'accordent à la situation, sont incomplètes ou hors sujet. Dans un cas, on a pu constater un poltergeist apparent survenant après une apparition. La famille pensait que cette activité était causée par le fantôme. Cependant, en se fondant sur la description des deux et les réactions des membres de la famille devant l'apparition, il semblait qu'il se passait quelque chose d'autre.

Martin a immédiatement perçu l'entité et ri lorsqu'elle a nié sa responsabilité dans l'activité de psychokinèse. Après avoir communiqué avec elle et discuté de cela avec moi, nous avons conclu que cette manifestation était la source du stress qui avait déclenché les manifestations psychocinétique.

Annette Martin a raconté que l'entité et elle avaient senti qui, dans la famille, en était à l'origine. Pour mettre fin à cette activité, nous avons révélé cette information en discutant avec eux, comme nous l'aurions fait dans un cas de poltergeist. Puis Annette communiqua avec l'apparition pour déterminer son identité et « l'aider à passer de l'autre côté » comme elle dit.

L'histoire qui illustre le mieux les talents d'Annette Martin est celle du restaurant Moss Beach Distillery au sud de San Francisco. Il s'agit d'une affaire connue avec un fantôme surnommé la « dame bleue » qu'on a vu hanter les lieux depuis sa mort au début des années 1930.

Tandis que je travaillais avec plusieurs médiums dans le restaurant, j'ai eu le plus souvent à faire à Annette et senti qu'elle avait créé un lien fort avec l'apparition que nous connaissions sous le nom de « Cayte ».

À chaque fois que j'ai rencontré Annette pour communiquer avec Cayte, nous avons obtenu des informations précieuses grâce à elle, sur l'histoire du restaurant et de la ville, sur la vie de la « dame bleue » et souvent sur le point de vue du fantôme sur sa longue existence désincarnée. Nous avons vérifié certaines choses et d'autres corroborent ce que des témoins et d'autres télépathes ont décrit.

Annette a également persuadé Cayte de coopérer avec nous. Nous avons pu utiliser notre matériel pour détecter quelque chose à chaque fois qu'Annette communiquait avec la dame bleue.

En février 2005, vous avez lancé un nouveau programme d'études parapsychologiques soutenu par le HCH Institute à Lafayette (Californie). Pouvez-vous décrire son contenu, le type d'élèves que vous espérez attirer et ce qu'ils pourront apporter lors d'une investigation à la fin de leurs études ?

Ceux qui souhaitent mener des enquêtes sur le terrain quitteront les cours avec une parfaite compréhension des phénomènes d'apparitions, de hantise et de poltergeists ainsi que les expériences de personnes qui en ont rencontré, dans le contexte élargi des situations paranormales et de la recherche. Il est dommage que la majorité des chasseurs de fantômes ne comprennent pas le lien entre les talents parapsychiques et les fantômes, apparitions et poltergeists. J'en ai vu certains affirmer que la psychokinésie n'existe pas (c'est-à-dire chez les vivants) avant de décrire une situation où des objets sont déplacés par (l'esprit d') un fantôme.

Ce programme représente 60 heures de cours offrant une vue d'ensemble sur la parapsychologie et les principaux domaines de recherches et d'investigation : perception extrasensorielle, psychokinésie et survie de la mort corporelle. Vous pouvez trouver des renseignements sur le programme et le descriptif des cours sur www.hypnotherapytraining.com/parapsych.cfm.

Vous vous intéressez à l'évocation dans les médias des phénomènes et de la science de la parapsychologie et vous avez servi de consultant auprès de plusieurs producteurs et auteurs à la télévision, dont des émissions pour History Channel, A&E LivingTV en Angleterre. Quelle est votre impression sur l'attitude des médias face au paranormal ? Ils semblent cyniques par principe.

Ce n'est pas qu'ils sont cyniques ou traitent le sujet avec mépris, mais beaucoup d'entre eux ignorent ce que recouvre le paranormal, qui sont les vrais experts (ils ne s'en donnent pas la peine) et comment les phénomènes et expériences se manifestent. Ils diffèrent de l'opinion générale qui le juge bizarre et effrayant, à cause de la religion et la fiction (littérature, films et télévision).

Le sujet est expédié pour plusieurs raisons. La préparation d'une série ou d'une émission ne permet pas toujours de vraies recherches de la part des auteurs, producteurs et assistants. Le budget est en général trop bas pour faire appel à des experts et il y en a peu qui maîtrisent à la fois le sujet et la télévision.

Si un reality show peut donner de vraies informations, l'émission doit être sensationnaliste pour toucher le grand public qui ne s'y intéresserait pas autrement. La peur est plus vendeuse que l'instruction malheureusement et la plupart des émissions sont produites pour la télé commerciale : les chaînes qui les achètent se préoccupent aussi des sponsors et de ce qui est vendeur.

Oui, les chaînes sont négligentes, surtout en passant commande de l'émission et en définissant leurs attentes. Cela ne se limite pas au paranormal : dans l'industrie cinématographique, les responsables changent l'histoire, l'intrigue ou les personnages en raison de ce qu'ils estiment « vendeur » auprès du public.

Souvent, la production n'a pas d'opinion sur la véracité du phénomène. Certaines personnes sont ouvertement sceptiques, mais produisent ce que les chaînes veulent de toute façon. Il ne faut pas oublier qu'il s'agit de SHOW BUSINESS.

Quant à savoir si les médias ont « repris le rôle endossé jadis par la communauté scientifique », ils n'ont certainement pas pris la relève pour évaluer les phénomènes surnaturels comme l'a fait la science. Cependant, les téléspectateurs semblent accepter cette représentation souvent déformée (voire carrément fausse) du paranormal puisque l'émission est qualifiée de « reality show » ou de « documentaire ».

Perceptions extrasensorielles : en 1962, les jumelles Terry et Sherry Young, 12 ans, ont testé leurs capacités de « transmettre des pensées ». Ici, Terry tente de communiquer le contenu de la carte qu'elle tient.

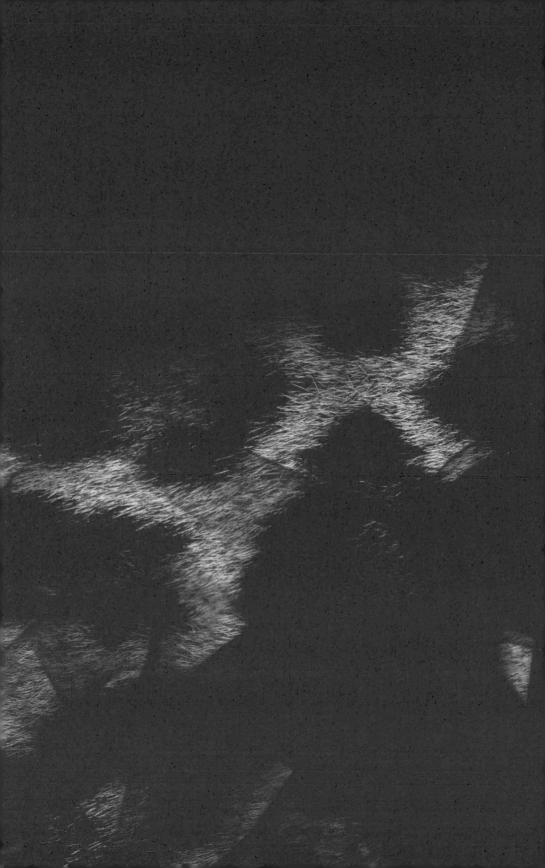

Internet a offert aux vendeurs de vieilleries un nouveau moyen de gagner de l'argent.

CHAPITRE 7

POSSESSIONS POSSÉDÉES

Avant l'arrivée des sites d'enchères comme eBay, le chineur amateur devait fouiner chez les brocanteurs ou dans le bric-à-brac des greniers et des caves pleines de toiles d'araignées dans l'espoir de dénicher une peinture ou un bibelot précieux dont le propriétaire était décidé à se séparer contre une somme modique.

Mais à présent, le chasseur de bonnes affaires se considère comme un expert en antiquités et chaque vendeur pense que son fouillis vaut de l'or.

Certains petits malins ont même trouvé une nouvelle méthode pour battre la concurrence lors d'enchères en ligne. Ils affirment que leur objet, que ce soit une poupée, un tableau, voire une console de jeux, est possédé. Certains tentent clairement le coup ou pratiquent l'humour au second degré, mais en lisant les descriptions sérieuses de ces vendeurs, on en vient à se poser des questions.

Les caves et greniers des États-Unis et d'Europe se vident-ils d'authentiques biens possédés ? Et si c'est le cas, le terme légal *caveat emptor* (que l'acheteur soit vigilant) prend-il un nouveau sens ?

Les objets les plus fascinants et dérangeants sont de loin les poupées cabossées et les tableaux sinistres qui poussent l'acheteur sceptique à douter.

PORTRAIT D'UN TUEUR ?

En 2003, un couple de Floride a mis en vente sur eBay une peinture à l'huile macabre baptisée *Vie dévastée*, censée être l'œuvre d'un homme qui tua sa femme avant de se suicider. C'était le portrait d'un jeune homme angoissé, portant une chemise et une cravate, avec des taches de sang d'un côté de la toile. Selon les propriétaires, on pouvait voir un second visage hurlant dans ces éclaboussures.

Au verso se trouvait un poème tout aussi dérangeant :

Racler les bords, courir puis ralentir jusqu'à marcher au pas / ajuster son allure plusieurs fois récolter et semer cette moisson pourrie. Les panneaux indicateurs me mènent au messie des feux rouges. Frappé par l'idée d'enterrer les vivants et sauver les morts...

Sachant que cette histoire bizarre en ferait ricaner plus d'un devant son ordinateur, les vendeurs ajoutèrent une longue description, expliquant comment ils ont obtenu ce tableau et garantissant aux acheteurs potentiels qu'ils leur fourniraient la provenance de l'œuvre, « dont des dépositions certifiées conformes de ma femme et moi, une publication locale racontant la nuit du meurtre et du suicide, un double de l'acte de vente de la maison, tous les noms et informations pertinents, ainsi que tout autre document que nous trouverons en rapport avec cet objet ».

Ils affirmaient qu'il s'agissait de l'un des objets laissés par l'ancien propriétaire de leur maison achetée à bas prix car la rumeur la disait hantée. C'était le fils d'un Cubain qui avait vécu là depuis le milieu des années 1970. Tout ce qu'ils savaient sur lui, ou étaient prêts à divulguer en ligne, était qu'il s'appelait Harold, était né en 1949 et avait tué sa femme grabataire d'un coup de fusil en apprenant qu'il souffrait d'une tumeur au cerveau et ne pourrait plus s'occuper d'elle. Les vendeurs continuaient alors l'histoire :

« *Nous avons d'abord voulu nous débarrasser du tableau, mais notre fils adolescent l'a trouvé 'cool'. Nous l'avons donc accroché et nous avons raconté son histoire à nos amis. Puis nous avons commencé à entendre des bruits étranges pendant la nuit. Toujours quand il faisait très sombre. Ma femme et moi étions dans notre chambre. Il était minuit passé et c'était notre troisième nuit dans notre nouvelle maison. Je somnolais quand BOUM ! ! ! la détonation d'un fusil m'a réveillé en sursaut.VRAIMENT. Mon cœur a failli exploser dans ma poitrine et je me suis assis dans le lit. Ma femme dormait toujours. Ayant tout vérifié dans la maison, je suis retourné me coucher, pensant que j'avais rêvé. Quelques heures plus tard, j'ai été à nouveau réveillé par des hurlements terrifiants.* »

Il s'agissait de leur chien. Lorsque le mari alla voir ce qui se passait, il le trouva devant le tableau. Troublé et incapable de dormir, il le décrocha et le rangea dans un placard. Puis quelques nuits plus tard, son épouse se réveilla en criant. Elle disait avoir vu une femme en fauteuil roulant au pied du lit, mais il n'y avait aucune trace d'elle lorsque le mari ouvrit les yeux. Les problèmes électriques commencèrent ensuite. Chaque ampoule du lustre de leur salon éclata, la télé s'allumait toute seule et l'on entendait une voix de femme appeler depuis la chambre.

Ils décidèrent alors de mettre le portrait en vente sur eBay, apparemment l'unique œuvre d' »Harold ». On ignore ce que le tableau est devenu et le nom du meilleur enchérisseur n'a jamais été révélé, mais les anciens propriétaires devraient mieux dormir à présent.

LE TABLEAU HANTÉ

Les tableaux hantés ont fait l'objet de plusieurs histoires de fantômes victoriennes dans lesquelles le protagoniste est fasciné par une œuvre qui semble avoir une vie propre. Dès qu'il vient admirer son acquisition, il est convaincu que les personnages ont bougé. Ces récits sont devenus un cliché, si bien qu'en voyant un tableau décrit comme étant hanté sur le site d'eBay en février 2000, beaucoup d'acheteurs ont cru à une blague. Mais finalement, ce sont les propriétaires anonymes, un couple californien, qui ont bien ri lorsqu'ils l'ont vendu plus d'un millier de dollars.

The Hands That Resist Him, un titre inquiétant pour un tableau troublant.

On ignore toujours, cependant, si c'était une œuvre paranormale ou une astuce marketing. Le tableau montrait deux enfants et même s'il n'y avait rien de remarquable dans le sujet ou son exécution, le vendeur affirmait qu'il avait une qualité particulière.

« *Quand nous avons reçu cette œuvre, nous la trouvions vraiment bonne. Un chiffonnier l'avait ramassée alors qu'elle était abandonnée derrière une vieille brasserie. À l'époque, nous nous sommes demandé pourquoi cette toile avait été jetée là (plus maintenant !).*

Un matin, notre fille de 4 ans a affirmé que les enfants du tableau se battaient et venaient dans notre chambre la nuit. Je ne croyais pas aux Martiens, ni qu'Elvis est vivant, mais mon mari s'est inquiété. J'ai été amusée de le voir installer un appareil photo avec un capteur de mouvement pour la nuit.

Au bout de trois nuits, il y avait des photos. Quand nous avons vu que le garçon semblait sortir du tableau sous la menace, nous avons décidé de nous en séparer. »

Le seul indice sur l'origine de cette mystérieuse peinture, qui date probablement du milieu des années 1960 ou 1970, sont les mots *The Hands That Resist Him* inscrits au crayon noir au verso.

Les vendeurs ont jugé nécessaire d'ajouter un démenti, pour se protéger contre de futurs procès en cas de manifestations surnaturelles ou peut-être pour rendre l'enchère plus attirante.

« *En achetant ce tableau, vous acceptez de dégager les propriétaires de toute responsabilité en rapport avec la vente ou tout événement se produisant après la vente qui pourrait être attribué à l'objet. Ce tableau peut ou non posséder des pouvoirs surnaturels pouvant avoir un impact sur vous ou changer votre vie. Cependant, en participant à cette vente, vous acceptez d'enchérir exclusivement sur la valeur de l'œuvre sans tenir compte des deux dernières photos figurant dans cette enchère et de reconnaître l'innocence des propriétaires sur cet impact, exprimé ou sous-entendu.* »

Ces quelques lignes suffirent à soulever des dizaines de questions qui semblent avoir placé les vendeurs sur la défensive. Voici leur réponse :

« *Afin de couper court aux questions dans ce sens, il n'y a pas de fantômes dans ce monde, pas de pouvoirs surnaturels, il s'agit juste d'un tableau et la plupart de ces phénomènes ont une explication, dans ce cas, sans doute un effet de lumière particulièrement bien tombé.*

Je vous encourage à enchérir sur l'œuvre et voir les deux dernières photos comme un divertissement. Merci de ne pas les prendre en considération. »

Mais plusieurs acheteurs potentiels racontèrent que le pouvoir du tableau s'étendait à leurs ordinateurs après l'avoir vu sur le site.

« Sept e-mails ont fait état d'événements étranges se produisant quand on regarde cette image, indiqua le vendeur une fois l'enchère terminée, et je transmettrai deux suggestions faites par les expéditeurs. Premièrement, n'utilisez pas cette image comme fond d'écran et deuxièmement, ne l'affichez pas devant des enfants. »

Qui donc a payé plus de mille dollars pour un tableau par ailleurs ordinaire ? Un marchand d'art rusé qui a vu là un bon investissement.

Cette histoire a une suite. Après la vente, la BBC a réussi à retrouver le peintre, Bill Stoneham. Il a expliqué ce qui l'a poussé à créer une œuvre aussi dérangeante.

« Lorsque j'ai peint The Hands That Resist Him *en 1972, je vivais dans un vieux relais de diligences dans les bois de Matilija, entouré de chênes de 600 ans et d'un torrent plein de fossiles. J'ai utilisé une photo sortie d'un album de famille me représentant à cinq ans devant notre appartement de Chicago. Les mains sont les 'autres' vies. La porte vitrée, le voile léger entre le rêve et l'éveil. La poupée est ma compagne imaginaire, l'alliée ou guide du voyage du héros selon Joseph Campbell. Ce que je peins touche parfois d'autres personnes, ouvrant leur porte intérieure ou leur cave. »*

FANTÔME EN BOUTEILLE

L'un des objets hantés les plus étranges mis aux enchères est sans conteste le « fantôme en bouteille » vendu sur eBay en décembre 2004 et aurait, selon un journal national, intéressé un agent représentant le chanteur Michael Jackson.

On ignore si Jackson a remporté l'enchère car l'identité de l'acheteur est restée secrète.

La bouteille appartenait à John McMenamin, ouvrier retraité d'une filature du comté de Tyrone (Irlande du Nord) qui l'avait découverte dans un bloc de ciment obturant une fenêtre de sa maison réputée hantée. Il l'avait conservée pendant vingt-cinq ans avant de décider d'en tirer profit.

Elle était décrite comme ayant au moins une centaine d'années et contenant l'esprit emprisonné d'un propriétaire impitoyable qui s'était suicidé après avoir fait un enfant à une jeune fille qu'il avait abandonnée à son sort. Les habitants furieux le chassèrent jusqu'à ce qu'il se tue. Apparemment, un prêtre local n'avait pas réussi à totalement exorciser son fantôme, mais l'enferma dans une bouteille, sans doute en promettant à cet alcoolique désincarné l'ivresse au fond du flacon.

Incroyablement, l'histoire a captivé l'imagination d'un présentateur de radio irlandais qui a retrouvé et interviewé la sœur de McMenamin, Marie Maguire. Elle lui expliqua que la bouteille contenait une poussière noire et était scellée par une page de la

La bouteille hantée fut retrouvée dans la fenêtre scellée d'une vieille maison.

Bible. Elle révéla que lorsque sa famille avait emménagé dans cette maison, elle savait qu'elle était hantée. Les anciens propriétaires l'avaient quittée pour cette raison. Maguire décrivit des expériences de son enfance, comme « de se réveiller en hurlant que quelqu'un me regardait dormir ». Son frère racontait que quelque chose sautait sur le lit « comme des pattes de chat ». Elle a conclu en disant que la famille voulait que l'acheteur traite cet « authentique fantôme irlandais en bouteille avec respect ».

POUPÉES VAUDOUES

Les « poupées hantées » en vente sur eBay sont à présent si nombreuses qu'elles ont leur propre catégorie. Certains vendeurs se spécialisent dans ces curiosités allant du bébé au regard vacant qui donne des cauchemars aux enfants à la vieille dame charmante censée servir de grand-mère de substitution. Ils affirment qu'ils ont créé ces jouets pour capturer l'âme d'un être aimé ou un fantôme amical qu'ils offrent à présent comme invité à toute personne voulant un peu de compagnie ou de protection. Mais même les plus mignonnes sont accompagnées d'une mise en garde disant qu'elles ne doivent pas être données à des enfants ou des gens trop nerveux ou imaginatifs. Le texte suivant est un descriptif typique.

« Granny est extrêmement active et cherche un nouveau foyer.

Ma grand-mère a toujours collectionné les poupées et, enfant, je ne savais pas pourquoi je n'avais pas le droit de jouer avec les siennes, jusqu'à ce qu'on me les donne après sa mort, il y a deux ans. »

Selon cette vendeuse, les poupées s'animent à la nuit tombée, parlent et rient ensemble, ce que les nouveaux propriétaires peuvent trouver gênant s'ils n'y sont pas préparés. Elle affirme avoir capturé leur vie secrète sur une vidéo infrarouge et des enregistrements de sons éthérés hors de la portée de l'oreille humaine. Le joyau de sa collection contient l'esprit d'une veuve de 92 ans baptisée « Granny » pour laquelle elle fournit une biographie. C'était une femme charmante et avisée qui cultivait des plantes médicinales et un potager pour nourrir les pauvres jusqu'à ce qu'un rôdeur l'assassine.

La vieille dame cultivait son potager pour nourrir les pauvres jusqu'à ce qu'un rôdeur l'assassine.

Après sa mort, la grand-mère de la vendeuse et une tante qui était médium fabriquèrent une poupée à l'effigie de la vieille dame, reproduisant ses grains de beauté et son alliance. Ses vêtements, aussi, étaient la réplique de ceux qu'elle portait le dernier jour de sa vie. Bien sûr, la méthode par laquelle son âme a intégré le corps de la poupée n'est pas mentionnée, mais nous avons la liste des goûts de Granny et de ses activités nocturnes.

« La nuit, j'entends Granny se balancer dans son rocking-chair, je l'ai trouvée dans différentes positions, parfois, on dirait qu'elle essaye de se tenir debout, mais n'y parvient pas seule. Je l'ai vue sous forme d'apparition grandeur nature. Elle inspecte mes placards de cuisine, déplace les assiettes et d'autres objets… Je l'ai entendue fredonner et siffloter, elle commence vers une heure du matin et peut continuer pendant des heures parfois.

J'ai trouvé Granny dans des pièces différentes de celle où je l'avais installée et déplacée d'un endroit à un autre. Parfois, son expression passe du sourire au froncement de sourcils. J'ai essayé de l'enregistrer, mais quelque chose endommage la bande. Je ne pense pas qu'elle aime la technologie.

Granny est une femme AIMANTE, qui veut une famille à choyer. Elle aime les enfants et les animaux. Elle a besoin d'un foyer confortable où elle pourra vivre, être utile et aimée à sa juste valeur.

Si vous éprouvez un lien fort envers Granny, n'hésitez pas à enchérir car vous pourriez être celui ou celle destiné(e) à veiller sur elle. Laissez-la vous aider et veiller sur vous également. Important : ne laissez personne toucher Granny jusqu'à ce qu'elle soit habituée à vous et sa nouvelle maison ! »

La vendeuse ajoute une mise en garde destinée à ceux qui pourraient demander un remboursement si les poupées n'agissent pas sur commande.

« Mes poupées ne sont pas 'maléfiques'. Certaines ont plus de caractère que d'autres, elles ont leur personnalité parce qu'elles ont toutes été un jour des êtres vivants. »

Devant les réponses des acheteurs, on constatait qu'ils avaient saisi l'esprit de la vente et traitaient les poupées comme des curiosités New Age. Une enchérisseuse mentionna une poupée baptisée Teena :

« *C'est une petite bavarde… Elle nous appelle maman et papa. C'est très mignon… Nous avons constaté qu'il y a un autre esprit chez nous qu'elle n'aime pas. Elle nous a donné son nom et le reste. Nous pensions qu'il devait y en avoir un autre, mais nous n'étions pas sûrs… Elle va nous aider à le trouver pour nous en débarrasser… Et, oh, elle fait très peur au chien.* »

D'autres parlaient de portes qui se verrouillaient toutes seules, de pannes d'ordinateurs, de lumières s'allumant et s'éteignant et de visions fugaces de l'âme quittant son hôte !

LA BOÎTE À DIBBOUK

Le thème des biens possédés invite au scepticisme, mais un objet a attiré l'attention au point de devenir le sujet d'un site internet dédié à découvrir ses origines mystérieuses.

En septembre 2001, parmi les objets inclus dans la liquidation d'une maison de Portland (Oregon) se trouvait un coffre contenant un esprit maléfique connu dans la mythologie juive sous le nom de dibbouk. L'ancienne propriétaire était apparemment une vieille immigrée juive, unique survivante de sa famille d'un camp de concentration nazi en Pologne. Ne souhaitant pas rester dans son pays après la guerre, elle partit en Amérique avec ses seuls biens : une petite malle, un panier de couture et la boîte à dibbouk.

Sa petite-fille organisait la vente et raconta l'histoire de cet objet à un acheteur éventuel. Elle confia que la vieille dame gardait ce coffre fermé et hors de portée des enfants curieux. Lorsqu'on lui demandait ce qu'elle contenait, elle crachait trois fois entre ses doigts et marmonnait quelque chose sur un « dibbouk » et un « keselim » ; la petite-fille ne connaissait pas le sens de ces deux mots.

La vieille dame voulait être enterrée avec la boîte, mais la tradition juive orthodoxe l'interdisant, elle fut incluse dans la liquidation.

La boîte était décrite comme une cave à vin en bois ancienne, même si l'un de ses propriétaires ultérieurs estima qu'elle était trop petite pour contenir des bouteilles et que des verres ne tiendraient pas dans le râtelier. Cependant, elle aurait pu servir de coffret à

La boîte pouvait avoir des origines parfaitement innocentes, mais elle causait des problèmes partout où elle se trouvait.

liqueur et accueillit un flacon, des petits verres et des gobelets. Elle aurait aussi pu contenir des rouleaux de textes sacrés pour un peuple persécuté ne pouvant pas prier ouvertement dans une synagogue. À l'intérieur se trouvaient deux petites pièces datées de 1928 et 1925, deux mèches de cheveux attachées par de la ficelle (une claire, l'autre foncée), une statuette gravée du mot hébreu *Shalom* (paix), un bouton de rose séché, une coupe à vin plaquée or et un chandelier en fer forgé noir avec des pieds de pieuvre.

L'acheteur la stocka dans le sous-sol de son magasin de meubles pour la remettre en état dès qu'il en aurait le loisir. Mais avant qu'il en ait eu le temps, il se sentit mal à l'aise en sa présence et décida de la vendre. Apparemment, les neuf ampoules dans sa cave avaient explosé et dix néons avaient grillé simultanément. Son assistante s'était retrouvée terrorisée par « quelque chose » qu'elle avait vu et qui l'avait enfermée alors qu'il était absent. Elle refusa de revenir travailler.

Deux semaines plus tard, il examina la boîte pour la restaurer et découvrit une inscription à l'arrière qui, il l'apprit ensuite, était une prière juive de consécration et de protection.

Lorsqu'il offrit à sa mère le meuble remis en état pour son anniversaire, elle sembla contente, mais quelques minutes après, il affirme qu'elle a été victime d'une crise cardiaque qui la laissa en partie paralysée. Elle ne pouvait plus communiquer que par écrit et son message fut tout sauf rassurant.

« H-A-I-S-L-E-C-A-D-E-A-U ».

Il fut ensuite revendu sur eBay à un jeune homme qui se mit à faire des cauchemars où il était attaqué par une vieille sorcière. Quand il donna le petit meuble à sa sœur et son beau-frère, ils se plaignirent de faire le même rêve. Le jeune homme le revendit à un couple d'âge moyen qui le rapporta chez lui sans demander de remboursement.

La malchance sembla alors le poursuivre. On mit fin au bail de son magasin sans explication et tous les poissons de son aquarium moururent sans raison apparente. Pendant qu'il effectuait des recherches sur la légende du dibbouk, il s'endormit devant son ordinateur et se réveilla en sentant un souffle sur sa nuque. Il vit alors une ombre imposante titubant dans le hall.

Il en eut assez et revendit la boîte sur Internet. Un étudiant du Missouri, connaissant sa réputation, l'acheta malgré tout. Quelques jours plus tard, il se mit à rédiger un journal pour raconter ces événements étranges.

Dimanche 31 août 2003 – *Au cours de la semaine passée, certaines choses, sans doute des coïncidences, se sont produites. Tout d'abord, je partage une maison avec six autres personnes ; nous avons tous dormi à notre tour avec le coffre dans notre chambre.*

Deux personnes se plaignent désormais d'avoir les yeux qui les brûlent, l'une n'a plus du tout d'énergie et l'autre est tombée brusquement malade. (Rétrospectivement, je dirais que c'est une allergie).

Quelques jours plus tard, la maison a été envahie par des petits insectes pendant plusieurs heures (un vendredi). (Une invasion estivale bizarre ?) La nuit dernière (samedi), nous avons constaté que la boîte, à présent dans un coin à l'arrière de la maison, s'est quasiment ouverte alors qu'elle était fermée et que personne n'a pu ou voulu la toucher.

Mercredi 10 septembre 2003 – *Même s'il est impossible de prouver que ce coffre porte malheur, nous sommes au beau milieu d'une série noire. Des odeurs étranges imprègnent la maison, la benne derrière chez nous déborde d'ordures en putréfaction, un colocataire a attrapé une bronchite et je me suis cassé un doigt. Des souris sont mortes dans le moteur d'une des voitures et tous les jours, des appareils électriques semblent mourir : la Xbox, le grille-pain, la télé et nos montres.*

Quelques mois plus tard, il mit la boîte en vente et précisa :

« *Je ne veux pas parler de ce qui s'est passé entre septembre et janvier, je dirai donc que je vends cet objet pour quelques raisons :*

Aux alentours du 6 octobre, j'ai commencé à me sentir mal et souffrir d'insomnies. Ce problème subsiste à ce jour.

Je vis désormais seul et j'ai récemment remarqué que je change beaucoup d'ampoules grillées et dois souvent réparer ma voiture.

J'ai commencé à voir des choses, des espèces de grosses taches verticales sombres dans ma vision périphérique.

Je sens souvent une odeur de genévrier ou d'ammoniaque dans mon garage et j'ignore d'où ça vient.

Pire encore, mardi dernier (27 janvier 2004), mes cheveux se sont mis à tomber. Aujourd'hui (vendredi), je suis à moitié chauve. J'ai une vingtaine d'années et mes examens sanguins n'ont rien révélé. C'est peut-être lié au stress, je n'en sais rien.

En tout cas, pour des raisons personnelles, je ne veux surtout plus posséder ce coffre. J'espère que quelqu'un sur eBay va la reprendre. (Je l'aurais bien jeté dans les bois, mais je sais que certains s'y sont intéressés dans le passé.) »

L'HISTOIRE DE LA BOÎTE

Le précédent propriétaire ne l'avait pas détruite craignant de libérer le démon qu'elle contenait ou croyant gagner quelque chose en la transmettant.

En février 2004, la boîte fut achetée pour 280 dollars par son acquéreur actuel qui a fait le maximum pour découvrir son histoire. Voilà ce qu'il affirme avoir appris :

« La boîte a servi à des séances de spiritisme par la femme juive qui avait émigré de Pologne.

En novembre 1938, ses amis et elle réalisèrent que ce petit jeu innocent leur avait permis de contacter une entité maléfique qui désirait entrer, avec d'autres esprits, dans notre monde.

Elle ne leur a pas laissé de répit jusqu'à ce qu'ils accèdent à ses exigences et ils comptèrent l'invoquer une dernière fois pour la piéger dans la boîte grâce à certaines incantations. »

La boîte semble être liée à une Juive qui émigra de Pologne au moment de la nuit de Cristal.

Les objets comme les mèches de cheveux et les pièces faisaient partie des amulettes qui l'enfermeraient dans le coffre. Le rituel ne se déroula pas comme prévu et même si l'entité fut finalement soumise, elle réussit à semer la destruction sur une échelle alors inégalée. Le 10 novembre 1938 eut lieu la nuit de Cristal pendant laquelle les nazis brûlèrent les synagogues dans toute l'Allemagne et brisèrent les vitrines des boutiques tenues par des Juifs.

Cette histoire ressemble à un mélange des *Aventuriers de l'arche perdue* et de *La Lance du destin* avec une touche de H.P. Lovecraft, et le fait que la coupe à vin qu'elle contenait était fabriquée dans une usine située dans la ville de l'Oregon où la boîte avait été achetée inspire les soupçons.

La véritable importance de ces objets hantés est la vitesse à laquelle ces anecdotes remplacent les histoires traditionnelles de fantômes et les légendes urbaines pour une nouvelle génération.

UN FANTÔME DANS LA MACHINE

La prochaine fois que votre ordinateur plante sur Internet, oserez-vous rire en disant que vous avez téléchargé par inadvertance un cyber-revenant ? Faites attention quand vous vous énervez contre lui : vous risquez d'invoquer un esprit maléfique !

On a tous maudit son ordinateur lorsque l'écran se fige ou qu'il perd des données précieuses, mais personne ne croit sérieusement qu'il est possédé. Pourtant certains utilisateurs frustrés sont prêts à jurer sur une pile de Bibles que leur disque dur est hanté.

Dans le Sud très religieux, à Savanagh (Géorgie), le révérend Jim Peasboro prêche souvent contre Internet, ce rejeton de Satan. Il raconte que certains ordinateurs ont « ouvert une porte de plus par laquelle Lucifer et ses laquais peuvent entrer et corrompre l'âme des hommes ».

Peasboro prétend que les PC ont une mémoire suffisante pour y abriter des esprits maléfiques et que des membres de sa congrégation ont été en contact avec « une force obscure » en utilisant leurs ordinateurs.

Il raconte que des hommes heureux en mariage ont été attirés sur des sites pornographiques et « forcés d'assister à des abominations sans nom ».

Certains diront que ce n'est pas Satan, mais la nature humaine qui les pousse à explorer leur côté sombre et que le diable est une bonne excuse pour s'absoudre de la responsabilité de leurs actes.

Pourtant, apparemment, il n'y a pas que des hommes qui ont dévié de l'étroit chemin de la vertu. Selon ce prêtre, même de bonnes chrétiennes se sont senties obligées de visiter des chats en ligne qui les ont transformées en pécheresses grossières et fornicatrices.

Il explique qu'une femme a pleuré en confessant qu'elle se sentait « dominée » quand elle surfait. Dans ce cas précis, le prédicateur décida de mener lui-même le combat.

Il se rendit chez cette femme où l'ordinateur « lui parla et se moqua ouvertement » de lui. Il tapa même tout seul, traitant Peasboro de « mauviette » et lui disant « ton Dieu est un satané menteur ».

Puis sans qu'on le lui demande, il cracha des pages entières de charabia, une expérience que la plupart d'entre nous ont déjà vécue. Mais le prêtre affirme que ce n'était pas une simple défaillance et fit examiner le texte à un expert en langues mortes. Ce dernier soutint qu'il s'agissait « d'un torrent d'obscénités écrites dans un dialecte mésopotamien vieux de 2 800 ans » !

Le révérend Peasboro assure aussi que beaucoup de fusillades dans des écoles, comme la tragédie de Columbine, ont été perpétrées par des fous d'informatique, et il n'a « aucun doute que les démons de l'ordinateur les ont influencés ».

Comment lutter contre cette invasion ? L'exorcisme est-il l'unique réponse ? Selon le révérend Peasboro, il y a une solution moins radicale.

« Des techniciens peuvent remplacer le disque dur et réinstaller les logiciels », afin de se débarrasser en permanence des esprits maléfiques », assure-t-il.

Amen.

Si les fantômes ne sont que des esprits désincarnés possédant la même personnalité que de leur vivant, il faut s'attendre à ce que les défunts essayent de communiquer avec nous par téléphone ou e-mail plutôt qu'en faisant tourner des tables comme les revenants victoriens.

Le fils de cinq ans de Julia K. ne s'intéressait pas au téléphone jusqu'à ce qu'un jour, il s'arrête de jouer pour y répondre. Pourtant, il ne sonnait pas. Ou du moins, sa mère n'entendit rien. L'enfant prit le combiné et se lança dans une conversation animée, puis le passa à sa mère qui préparait le dîner dans la cuisine.

« Qui est-ce ? demanda-t-elle, pensant que le téléphone avait sonné quand elle était trop occupée pour l'entendre.

– Mamie, répondit-il.

– Que veut-elle ?

– Elle veut te parler. Elle veut dire au revoir. » Julia prit le téléphone, mais en le portant à son oreille, elle n'entendit rien. Elle était à la fois soulagée et mal à l'aise. Sa propre mère était morte cinq ans auparavant et elle n'avait jamais parlé d'elle à son fils, trouvant qu'il était trop jeune pour comprendre ce qu'était la mort. Il n'avait pas mentionné son nom jusqu'à ce jour.

La voix à l'autre bout du fil qui réveilla « Michelle » un dimanche matin était bien identifiable. C'était celle de son père qu'elle compare à l'acteur James Earl Jones qui a prêté son timbre rauque à Dark Vador dans la saga de *La Guerre des étoiles*. Elle se rétablissait après une opération et il lui demanda comment elle se sentait et si elle savait que deux de leurs connaissances étaient mortes, ce qu'elle ignorait. Du moins, pour l'instant. Avant de raccrocher, il lui assura que les choses allaient s'arranger pour elle et qu'elle ne devait pas laisser la maladie saper sa force et son moral. « Quand j'ai reposé le combiné, j'ai eu l'impression de redescendre d'une autre dimension », écrivit-elle ensuite. L'appel avait eu lieu le 13 septembre, jour du deuxième anniversaire de la mort de son père.

DÉMARCHAGE TÉLÉPHONIQUE

Cet incident ressemble à une légende urbaine, mais Terrie, la jeune femme qui l'a raconté sur le site about.com, assure qu'elle l'a vécu quand elle était intérimaire dans une entreprise américaine de télémarketing.

Les appels de télémarketing sont en général composés par un ordinateur pour que les vendeurs n'aient pas à s'en charger et en cas de réponse, ceux-ci lisent un baratin publicitaire pré-écrit avant que le client ait pu raccrocher. Ce jour-là, un homme âgé répondit et écouta patiemment le discours de Terrie. Quand elle en eut fini, il lui demanda combien cela allait coûter, car sa femme et lui recevaient l'aide sociale et surveillaient leurs dépenses.

Dès que Terrie se lança dans une explication, elle fut coupée par une vieille dame disant « allô ? ». Terrie lui dit qu'elle parlait déjà avec M. Smith et s'entendit répondre : « Mademoiselle, je suis désolée, M. Smith n'est plus là depuis trois ans. Il est mort. »

Imperturbable, Terrie demanda : « Y a-t-il quelqu'un d'autre à qui j'aurais pu parler ? » Et la vieille dame lui répondit : « Non, mon petit. Je suis seule ici. Puis-je vous aider ? »

Terrie devait être livide lorsqu'elle raccrocha, car le lendemain, son superviseur récupéra le numéro et l'appela au cas où un intrus aurait répondu. La vieille dame lui assura qu'elle était seule chez elle et allait bien.

En fait, il lui fallut un moment avant d'être convaincue que les vendeurs ne lui avaient pas fait une blague au sujet du vieux monsieur.

PRÉCURSEURS FANTÔMES

Tous les appels mystérieux ne proviennent pas du monde des morts. Sur le site about.com, une Américaine se présentant sous son seul prénom de Barbara décrivit une conversation qui l'incita à se demander si elle n'avait pas reçu un appel de la « quatrième dimension ».

Un coup de fil de son frère l'avait réveillée à 4 h 20 du matin. Il l'appelait à cette heure indue car il voulait absolument partager avec elle une excellente nouvelle : il venait juste de se marier. Le coup de fil dura environ cinq minutes et le mari de Barbara, également réveillé, l'entendit. Une semaine plus tard, Barbara vit son frère et sa jeune épouse chez leur mère et au cours de la conversation, elle mentionna l'appel. Son frère eut l'air choqué. Il affirma qu'il ne lui avait pas téléphoné et lui demanda ce qu'il avait dit. À la fin de son récit, son frère confirma que c'était l'échange qu'il avait eu avec leur mère quand il l'avait appelée à 4 h 20 précises.

Les précurseurs fantômes qui précèdent une personne lors d'un voyage sont un phénomène connu, mais leur version téléphonique est une rareté. L'anecdote suivante a été postée sur about.com par une femme qui se fait appeler Cian B.

Cian rentrait du travail un mardi soir avec sa mère lorsqu'elle lui demanda comment son père s'en sortait avec son cours d'informatique hebdomadaire. Il l'avait appelée plus tôt dans la journée pour lui dire qu'il avait des problèmes avec son deuxième exercice (sur trois !) car son ordinateur était défaillant. Le soir même, son père lui demanda comment elle était au courant de cet incident et elle lui rappela qu'ils en avaient discuté au téléphone quelques heures plus tôt, ce qu'il nia. Elle devait se tromper. Il ne comprit pas, cependant, que sa fille sache certains détails avant qu'il se soit rendu à son cours ce jour-là. Lui-même ne pouvait pas se douter qu'il aurait trois exercices à faire puisqu'il avait raté le cours précédent.

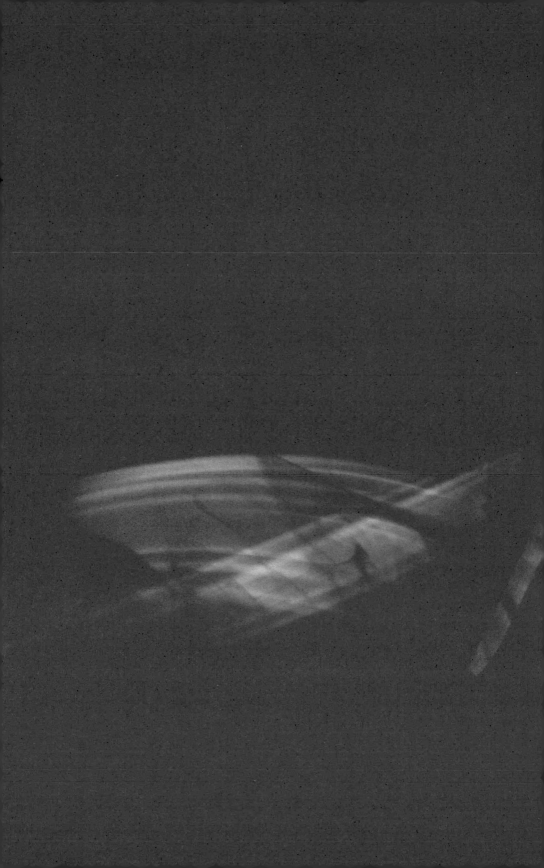

CHAPITRE 8

POLTERGEISTS

L e mot poltergeist vient de l'Allemand et peut se traduire par « fantôme bruyant », mais dans de nombreux cas, on a pu prouver que les « victimes » pratiquent de façon inconsciente une forme de psychokinésie, dans laquelle un excès d'énergie mentale est déchargé dans l'atmosphère, affectant l'équipement électrique, voire déplaçant de petits objets.

Bien sûr, il reste bon nombre d'incidents où une entité malveillante peut sembler responsable des attaques souvent violentes et d'autres phénomènes perturbants.

« Je pense qu'une personne terrifiée par l'idée des fantômes et des spectres est bien plus raisonnable que celle qui, contrairement aux récits de tous les historiens sacrés et profanes, anciens et modernes, et aux traditions de toutes les nations, trouve l'apparition des esprits fabuleuse et infondée. »
Joseph Addison, *Le Spectateur*, 1711

Dans le cadre de l'un des cas de poltergeists les plus remarquables, les perturbations furent mises sur le compte d'une jeune fille de 18 ans dont la prédisposition névrotique aurait déclenché ce qui se résume à une crise de colère psychique.

En novembre 1967, Sigmund Adam, un notaire de Munich, constata des problèmes électriques dans son cabinet qui en perturbaient la bonne marche. Il devait acheter de nouveaux néons chaque semaine alors qu'ils auraient dû durer des mois et son compteur enregistrait des sautes de courant inexplicables faisant augmenter sa facture. Les électriciens qu'il appela furent déroutés. Pendant leurs tests, leurs appareils reliés à une batterie d'1,5 volt enregistrèrent 3 volts, indiquant qu'il y avait une autre source d'énergie se répandant dans l'atmosphère. C'était purement impossible. Adam insista pour qu'ils installent un générateur au cas où le problème viendrait des lignes électriques et ils lui conseillèrent de remplacer ses néons par des ampoules. Mais les sautes de courant continuèrent et les ampoules grillèrent régulièrement. Le générateur fut remplacé et les problèmes persistèrent. Puis d'autres phénomènes se produisirent. La facture téléphonique d'Adam fit état de dizaines d'appels quotidiens à l'horloge parlante. Personne, au sein du personnel, n'admit les avoir passés et, de toute façon, les coups de fil avaient lieu jusqu'à six fois par minute, alors qu'il fallait au moins 17 secondes pour composer le numéro. Avant qu'Adam puisse comprendre ce qui se passait, son bureau fut assiégé par des activités de poltergeist plus « conventionnelles ». À plusieurs reprises, un gros classeur se déplaça tout seul et des cadres tournoyèrent sur les murs comme si des mains invisibles les manipulaient.

Les rumeurs de perturbations attirèrent l'attention de la presse nationale et le professeur Hans Bender de l'Institut de Recherches sur le Paranormal de Fribourg proposa d'enquêter. Bender découvrit que les incidents ne se produisaient qu'en présence d'une employée, Ann-Marie Schaberl. Il apprit aussi qu'on avait vu les plafonniers bouger quand elle passait en dessous, mais le fait le plus incroyable concernait les appels à l'horloge parlante.

L'avocat de Munich, Sigmund Adam, s'inquiétait des multiples
problèmes électriques dans son bureau.

Quand il la questionna, Ann-Marie admit que son travail l'ennuyait au point qu'elle regardait la pendule de façon obsessionnelle. Bender affirma qu'elle générait inconsciemment de l'énergie psychocinétique à un degré très élevé en raison de sa frustration et, comme pour prouver cette théorie, les activités cessèrent quand elle quitta le cabinet pour subir une série de tests à l'institut.

Bender conclut que la personnalité intense et névrosée d'Ann-Marie s'était manifestée dans certains phénomènes paranormaux et il se demanda si elle possédait d'autres dons du même type qu'il pourrait observer dans son laboratoire.

Les premiers tests ne révélèrent rien, mais quand le professeur aborda le sujet d'une maladie traumatisante dont elle avait souffert pendant un an, ses résultats augmentèrent spectaculairement.

À son retour dans le cabinet d'Adam, l'activité reprit et le notaire dut se passer de ses services. Des perturbations similaires se produisirent dans ses deux emplois suivants avec des conséquences tragiques. Ann-Marie fut accusée sans preuve de la mort d'un collègue par le reste du personnel et dut s'en aller. Les choses empirèrent quand son fiancé la quitta, se plaignant qu'à chaque fois qu'ils jouaient au bowling, le système de score électronique était défaillant. Elle dut attendre de rencontrer et d'épouser un autre homme avec qui elle fonda une famille pour que les phénomènes cessent pour de bon.

Les plafonniers bougeaient lorsque Ann-Marie passait en dessous.

LE POLTERGEIST DE PONTEFRACT

« Des pierres tombent sur le carrelage de votre cuisine comme si elles avaient traversé le plafond. Quelqu'un ou quelque chose frappe dans les murs. Des objets disparaissent et réapparaissent ailleurs. Avant longtemps, vous réaliserez qu'il ne peut s'agir d'un séisme, de Concorde ou d'une souris. Mais de bien autre chose, de quelque chose de franchement inexplicable et de très effrayant en soi. »

Guy Lyon Playfair, *Cette maison est hantée*, 1980

Une grande proportion de l'activité poltergeist peut être mise sur le compte de sautes d'énergie psychocinétique et, dans de rares cas, de la création inconsciente de formes-pensées, mais plusieurs affaires semblent fournir des preuves de la présence d'esprits malveillants.

En 1966, les Pritchard de Pontefract (Yorkshire) étaient une famille anglaise moyenne typique. M. Pritchard avait un bon travail, ce qui permettait à sa femme, Jean, de rester à la maison pour s'occuper de leurs deux enfants, Diane (14 ans) et Philip (5 ans). Pourtant, leur vie paisible allait être violemment perturbée. Tout commença de façon inoffensive par des flaques d'eau dans la cuisine. Les Pritchard furent intrigués par le fait qu'il n'y avait aucune trace d'éclaboussures. Comme leurs enfants affirmèrent qu'ils n'étaient pas responsables, ils se contentèrent d'éponger l'eau et n'y prêtèrent plus attention. Ils ignoraient encore que l'apparition inexpliquée d'eau sur les murs et le sol est une caractéristique d'une attaque de poltergeist. Ils reçurent bientôt un cours de rattrapage sur le sujet du paranormal.

Quand d'autres flaques apparurent, ils firent appel aux inspecteurs de la compagnie des eaux qui ne trouvèrent pas de trace de fuite. Des phénomènes mineurs eurent lieu les jours suivants et cessèrent avant qu'on puisse en trouver l'origine, puis tout redevint normal. Ils eurent deux ans de calme avant que le phénomène revienne, centré cette fois sur Diane.

La vaisselle et des bibelots se brisaient avec de fortes détonations. Le vacarme était tel que les voisins se rassemblaient devant la maison et se demandaient si ce couple d'apparence placide était en pleine scène de ménage. Les habitants du Yorkshire sont fiers de leur attitude terre à terre et pleine de bon sens face à toutes les situations, si déplaisantes soient-elles, mais même la petite communauté à laquelle appartenaient les Pritchard se mit à parler de poltergeist. Les enfants racontèrent à leurs amis que Diane avait été tirée du lit par des mains invisibles et les parents confièrent aux voisins qu'elle avait été clouée au sol plusieurs fois par des chutes de meubles lourds.

Bizarrement, malgré les dégâts, ces incidents ne blessaient jamais personne. Même Diane s'en sortait indemne. Ce n'est qu'à la fin que l'esprit devint cruel, tirant Diane dans les escaliers devant sa famille qui s'en prit à l'entité invisible, la forçant à desserrer la gorge de la jeune fille. Mais au cas où quelqu'un aurait cru que c'était une façon d'attirer l'attention, elle put montrer des traces de doigts sur son cou. Et la mère de Diane confirma l'histoire, ajoutant qu'elle avait vu de grosses empreintes de pas au bas de l'escalier ce jour-là et que le tapis était détrempé.

Le poltergeist ne se contentait plus d'être un fléau. Peu après cette attaque, il décida de terrifier la famille en apparaissant sous forme de moine encapuchonné. M. et Mme Pritchard décrivirent une silhouette spectrale en pleine nuit, dans l'encadrement d'une porte ouverte, et d'autres témoins aperçurent ce qui ressemblait à un personnage en capuche noire ailleurs dans la maison. Une voisine affirma avoir senti une présence derrière et se retourna pour faire face à un grand moine dont le visage était caché sous un capuchon. Il disparut en un instant. La dernière apparition se produisit un soir où les Pritchard virent une silhouette assombrir le verre dépoli de la porte de la salle à manger. Quand ils regardèrent dans la pièce, ils aperçurent une forme vague s'enfoncer lentement dans le sol. Ce fut le dernier épisode de l'affaire de Pontefract.

Des recherches permirent de découvrir que la maison des Pritchard était construite à l'emplacement d'une potence où un moine clunisien avait été pendu pour viol sous le règne d'Henri VIII.

En 1980, l'auteur Colin Wilson, expert en paranormal et sceptique déclaré sur la question des esprits, rendit visite à la famille Pritchard et interrogea d'autres témoins, dont des voisins.

Leurs témoignages, les enregistrements des bruits et les articles de journaux de l'époque ont finalement convaincu Wilson qu'il s'agissait d'un vrai cas d'activité poltergeist causée par « une entité indépendante ». Il écrivit ensuite : « Les preuves vont clairement dans cette direction et il serait malhonnête de ne pas l'admettre. »

LE POLTERGEIST PYROMANE

« Le caractère général des phénomènes est presque toujours le même et il semble incroyable que des événements fortuits aient pu avoir lieu à toutes les époques et partout dans le monde sans véritables manifestations derrière ces récits. »

H. Carrington, *The Story of the Poltergeist Down the Centuries*, 1953

En général on met toute activité poltergeist sur le compte d'un déplacement d'énergie émise par un membre de la famille instable sur le plan émotionnel, souvent un adolescent en pleine puberté. Mais cela n'explique pas les troubles dangereux qui s'abattirent sur la famille Gallo d'Orland Hills à Chicago pendant le printemps et l'été 1988.

Dina, l'une des deux filles adolescentes du couple, s'aperçut la première de la présence d'un fantôme pyromane dans la maison lorsqu'elle vit une gerbe d'étincelles jaillir d'une prise et mettre le feu aux rideaux. Elle réussit à l'éteindre et appela les pompiers qui ne constatèrent aucun problème électrique. Dina leur fournit un seul indice : elle avait entendu un drôle de petit bruit sec quelques secondes avant de voir les étincelles. Les pompiers félicitèrent les parents d'avoir une fille aussi réactive, mais réaliseraient bientôt que ce n'était pas un incident isolé. Quelque chose allait mal dans la résidence des Gallo.

Dina n'était pas là quand le deuxième incendie éclata dans une pièce vide et s'éteignit inexplicablement sans que la famille intervienne, laissant les rideaux calcinés, la moquette noircie et une épaisse fumée. Cette fois, les pompiers menèrent une investigation

Dina, l'une des deux filles adolescentes du couple, s'aperçut la première de la présence d'un fantôme pyromane dans la maison.

approfondie et ne trouvèrent pas d'explication logique. L'incendie avait un aspect incompréhensible. Pourquoi, se demandèrent les pompiers, plusieurs objets près de la source des flammes n'avaient pas brûlé à l'inverse du bureau ? Ils s'inquiétaient à présent pour les Gallo de plus en plus mal à l'aise. Afin de les rassurer et de percer le mystère, les pompiers firent appel à des ingénieurs qui vérifièrent l'installation électrique, pensant qu'il pouvait y avoir des accumulations périodiques de courant. Ils ne trouvèrent rien. Tout semblait en ordre, si ce n'est qu'après avoir coupé l'électricité et débranché tous les appareils, plusieurs prises se mirent à cracher de la fumée.

L'installation électrique devait être entièrement remplacée, une solution coûteuse et gênante qui ne mit pourtant pas fin au problème. Les nouvelles prises crachaient aussi des étincelles. Dès lors, plusieurs membres de l'équipe d'investigation se mirent à voir un brouillard blanc de vapeurs sulfureuses qui leur donna des maux de tête. Quand ils apportèrent du matériel sophistiqué pour mesurer le niveau de monoxyde de carbone, ils ne décelèrent pas de trace de gaz.

Puis, le 7 avril, le nuage sulfureux reparut, cette fois devant plusieurs membres de la famille qui virent une longue flamme bleue jaillir d'une prise et des traces de brûlures apparaître autour d'autres. Le point fort de cet épisode eut lieu avec la combustion spontanée d'un matelas. Des experts l'inspectèrent ensuite et estimèrent que la chaleur qui l'avait consumé devait excéder 1 500 degrés Fahrenheit (816 degrés Celsius).

Les Gallo étaient désespérés tout comme leur compagnie d'assurance qui les avait indemnisés à chaque fois et redoutait la prochaine déclaration de sinistre. Elle accepta à contrecœur de payer la démolition de la maison et la construction d'une nouvelle.

Naturellement, l'histoire fut reprise par les médias locaux qui propagèrent la rumeur que les pompiers chargés de l'enquête avaient consulté des médiums. Ces derniers auraient confirmé que la maison était construite à l'emplacement de trois tombes anonymes. Certaines spéculations se centraient autour de Dina, qui, disait-on, était toujours à proximité des incendies, puisque des poltergeists se produisent fréquemment près d'adolescentes et cessent après la puberté. Il est vrai que ce phénomène s'est arrêté quand

Dina grandit, mais même un adolescent très perturbé ne pourrait pas causer l'apparition de flammes de cinquante centimètres et de nuages sulfureux, sans parler des fortes conflagrations dépassant les 800 °C. Les enquêteurs de compagnie d'assurance ne sont pas réputés pour leur crédulité ou leur générosité, donc on peut supposer qu'ils examinèrent à fond le phénomène et conclurent qu'il y avait un vrai problème.

LE GARÇON QUI VOYAIT DES FANTÔMES

« Les sceptiques supposent en général que les phénomènes de poltergeist sont l'œuvre d'enfants rusés et malicieux… Mais dans de nombreux cas en apparence observés et consignés avec soin, les effets physiques sont d'une nature incompatible avec l'entremise d'un enfant. Un enfant peut produire des bruits étranges ou à l'occasion lancer une pierre, mais le déplacement de meubles massifs ou l'envoi de projectiles qui entrent dans la pièce depuis l'extérieur, alors que l'enfant se trouve là sous la surveillance d'un adulte, ne peuvent pas être expliqués de cette façon. »

Herbert Thurston, *Ghosts and Poltergeists*

Nous aimons tous nous faire peur avec des histoires de fantômes, de possessions et de poltergeists au cinéma ou en se plongeant dans la lecture des romans de Dean Koontz et Stephen King. Mais que ressent-on en vivant ces horreurs ? Si ce que prétend Denice Jones, une mère de famille du Connecticut, est vrai, n'importe quelle famille peut se retrouver au cœur d'un cauchemar de ce genre.

Ayant survécu sans aide aux attaques répétées d'esprits maléfiques pendant plusieurs années, elle décida de fonder un groupe de soutien à but non lucratif pour les familles victimes de poltergeists, L.I.F.E. (Living In Fear Ends, qu'on peut traduire par « ne plus vivre dans la peur » – ndt), qui a aidé des gens dans la même situation qu'elle.

Denice a aussi raconté son épreuve dans un best-seller, *The Other Side – The True Story Of The Boy Who Sees Ghosts* (New

Horizon Press, 2000), dans l'espoir d'exorciser la peur endurée par sa famille.

The Other Side décrit un cas classique d'activité poltergeist et il apparaît que le siège du phénomène n'était pas la maison familiale, mais Michael, le fils de Denice, âgé de cinq ans quand les problèmes débutèrent.

« Il y a eu beaucoup d'incidents avant que nous emménagions dans cette maison, explique-t-elle. Mon fils a toujours eu peur du noir, mais il était petit et je pensais que c'était une crainte normale. » Michael eut des problèmes à la naissance et faillit ne pas survivre. Pendant les premières semaines cruciales de sa vie, il fut déclaré techniquement mort plus d'une fois. Denice pense qu'il est passé de l'autre côté si souvent qu'en revenant, il a « laissé une porte ouverte » vers l'au-delà.

HISTOIRES DE FAMILLE

« Notre famille n'est pas étrangère aux expériences troublantes. Mes parents ont tous deux vu des morts chez eux et la maison où j'ai grandi était hantée. Ma mère avait des prémonitions. Par exemple, une nuit, ma mère s'est réveillée en sursaut et a dit à mon père de s'habiller. Elle lui a expliqué que sa mère allait arriver pour lui annoncer que son père venait d'avoir une crise cardiaque. Il répondit qu'elle avait dû rêver. Elle se mit à crier et à ce moment-là, ils entendirent frapper à la porte : c'était ma grand-mère venue dire que son mari avait eu une crise cardiaque.

Mon père aperçoit parfois des fantômes, mais pas tout le temps comme Mike, même si un jour il a vu le visage d'une femme près de son lit. Il se pinça pour se prouver qu'il ne rêvait pas et se sachant réveillé, il lui demanda de ne pas faire de mal à sa famille. Elle disparut. Bouleversé, il descendit inspecter la maison et vit les portes des placards et du réfrigérateur s'ouvrir et se refermer par elles-mêmes.

Naturellement, j'étais une enfant craintive et j'avais du mal à m'endormir de peur de voir quelque chose dans le noir. J'avais souvent le sentiment d'être observée. Dans un sens, j'ai l'impression à présent d'avoir été préparée à ce qui m'attendait avec mon fils. Je sais que ça semble

Mike descendit et vit les portes des placards et du réfrigérateur s'ouvrir et se refermer par elles-mêmes.

étrange, mais j'y crois. Je ne me suis jamais doutée des perspectives que tout cela prendrait pour mon fils et les miens.

Plus tard dans ma vie, j'ai aussi vécu des expériences qui m'ont secouée. Une fois, en conduisant, je me suis vue renverser un cerf. J'ai cru que je devenais folle. J'entendais une voix me dire de faire demi-tour et j'ai eu des flashes de ce cerf dans mes phares, mais j'ai pensé à une hallucination causée par le stress ou la fatigue. J'ai lutté contre ce phénomène pendant quelques kilomètres, puis soudain, tout est arrivé comme je l'avais prévu. J'ai renversé ce cerf. C'était étrange. Si seulement je m'étais écoutée, ça ne se serait pas produit, mais à l'époque, je ne pouvais pas accepter l'idée que ce soit une vraie prémonition.

Une autre fois, je faisais la vaisselle lorsque je me suis mise à crier à mon mari d'aller chercher Kenny, mon fils aîné qui s'était blessé. Il jouait dehors et rien ne s'était produit, mais alors que mon mari rentrait me rassurer, Kenny hurla. Il s'amusait à lancer une perche qui était tombée sur son pied. Il souffrait tellement qu'on l'a emmené d'urgence à l'hôpital. Ce genre de choses arrive peu, mais à chaque fois ça m'effraie. »

SIGNES AVANT-COUREURS

Denice est convaincue que Michael a hérité de son « don » après avoir échappé à la mort quand il était bébé.

« Dès que Michael a su parler, il voyait des choses invisibles pour les autres. Il me demandait qui était à l'étage en train de discuter alors qu'il n'y avait personne. Je ne voulais pas y prêter attention et j'espérais que ces manifestations disparaîtraient. Lorsque je me suis remariée, je n'ai pas souhaité alarmer mon mari, Bruce, et dès que Michael se réveillait en hurlant, je lui disais qu'il avait peur du noir. C'était en partie vrai, mais il avait de bonnes raisons !

Bruce avait deux filles et quand l'une d'elles a voulu emménager avec nous, nous avons quitté notre petit appartement pour une maison avec quatre chambres. En trouvant le pavillon idéal et à la moitié du prix du marché, on n'en croyait pas nos yeux. C'était comme de gagner au loto.

Je n'ai pas ressenti de mauvaises ondes dans cette maison, je l'ai trouvée agréable. Son palier à l'étage tout en longueur donnait un peu la chair de poule, mais elle semblait parfaite et tombait à pic. Nous avons remarqué qu'il y avait des rosaires dans toutes les pièces, ce qui était bizarre. Au début, j'ai trouvé cela charmant, comme si on bénissait la maison, puis j'ai soupçonné qu'ils étaient là pour protéger les anciens et les nouveaux propriétaires de quelque chose. »

LE VIEIL HOMME

Le premier signe inquiétant dans la maison de Bruce et Denice se produisit un après-midi idyllique d'automne, peu après leur emménagement. Denice jardinait lorsqu'elle entendit un cri perçant. Elle fila dans la chambre de Michael et le trouva recroquevillé dans un coin, murmurant qu'un vieil homme venu de nulle part lui avait touché l'épaule.

« Je ne pensais pas à ce moment-là que ça pouvait être un fantôme. Il était environ seize heures et les fantômes ne sortent que la nuit, du moins, je le croyais. Maintenant, je sais qu'ils n'ont pas d'horaires. J'ai seulement cru qu'il y avait un intrus dans la maison. J'ai empoigné le camion en métal de mon fils et filé à l'étage, le cœur battant la chamade, pensant que j'allais devoir frapper quelqu'un avec un jouet ! Quand je n'ai trouvé

personne et vu à quel point mon fils était terrorisé, je l'ai pris dans mes bras et nous avons parlé de l'homme le plus calmement possible, compte tenu des circonstances. Michael a dit qu'il était blanc comme du papier. Et que l'homme avait tenté de lui toucher l'épaule. Bien sûr, il n'y avait personne dans la maison. Je ne savais pas quoi faire. Je suis catholique et mes fils sont allés au catéchisme. Je croyais à l'au-delà, j'ai grandi dans une maison hantée avec des parents différents, mais croire à ces choses ne signifie pas qu'on attribue automatiquement ce genre d'incidents à des apparitions. Qui aurait envie de se dire qu'il partage sa maison avec les âmes des morts ?

Ce soir-là, j'ai amené mes enfants chez mes parents, car je voulais discuter avec ma mère. Pendant que nous parlions, nous avons entendu crier dans la pièce voisine. Michael avait vu une sculpture que mon père avait faite de son propre père et mon fils avait reconnu ce visage comme étant celui de l'homme apparu dans sa chambre.

Nous l'avons assuré que son arrière-grand-père ne lui ferait pas de mal et qu'il ne devait pas avoir peur de lui. C'était un ange qui veillait sur lui. Michael fut un peu réconforté, mais cette histoire m'a mise très mal à l'aise. Mike voyait mon grand-père mort. Je l'avais prié à sa naissance pour qu'il veille sur mon fils car j'étais proche de lui. Et j'avais donné à Michael le deuxième prénom de mon grand-père, alors, oui, peut-être qu'il gardait un œil sur lui. Et s'il le faisait maintenant, c'était que Mike avait besoin de protection. »

PARLER AUX ANGES

« J'étais contente de voir que Mike acceptait tout cela, mais quelques jours plus tard, je l'ai entendu à l'étage en train de parler. Je suis montée et je l'ai trouvé à genoux sur le sol, regardant en l'air et bavardant. Lorsque je lui ai demandé à qui il s'adressait, il m'a parlé de ses anges gardiens. J'ai alors emmené Mike chez tous les médecins possibles, du psychiatre au neurologue, y compris un oculiste. Mais personne n'a pu trouver quoi que ce soit et l'on m'a suggéré de consulter un médium.

Mike était frappé, griffé et étranglé devant nous, mais par qui ou quoi ? Je ne savais plus quoi faire, mais j'ai senti qu'il était important de tout consigner. Je voulais des réponses et j'avais besoin d'aide. Parfois,

Michael sombrait dans un état comateux et devait être emmené à l'hôpital. Il semblait endormi, mais après, il se souvenait de tout ce qu'on avait dit pendant qu'on le veillait. L'hôpital a appelé le prêtre une fois quand ils n'arrivaient pas à le réveiller. Ce dernier a prié auprès de lui et il a émergé. J'étais sûre que c'était d'ordre spirituel, même si je n'en avais pas envie. Parfois, je pensais qu'un médicament pourrait le soigner comme si c'était une maladie, mais il n'y avait rien de tel pour Mike. Cette expérience m'alarmait : il criait toutes les nuits parce qu'il y avait une femme ou un homme dans sa chambre ; ou quelqu'un dans les escaliers, un petit garçon qui courait, un homme avec un foulard dans l'encadrement de la porte ou bien son lit remuait, il se faisait griffer et le sang coulait de ses plaies alors que j'étais auprès de lui. Il s'étranglait dès que je mettais une croix ou de l'eau bénite sur lui quand il était quasi paralysé. Mike n'était pas l'unique cible des phénomènes. Des entités invisibles nous tiraient les cheveux ou les pieds, des objets se déplaçaient dans la maison, des choses disparaissaient pour toujours, des prises de courant explosaient quand Mike passait devant et une fumée noire en sortait.

Mon mari, d'abord sceptique, s'est mis à y croire un soir où nous étions dans le salon devant la télé et que nous avons entendu des coups dans le plafond et les cris des enfants à l'étage. Nous avons couru et trouvé la fille de Bruce et Kenny, mon fils aîné, devant la porte de la chambre de Mike, terrifiés alors que ce dernier s'accrochait à son lit secoué de haut en bas. Bruce a attrapé Mike et nous sommes vite redescendus. Nous avons dormi tous ensemble cette nuit-là et entendu des objets qu'on pulvérisait dans la chambre de Michael. À notre réveil, Bruce a ouvert la porte de la chambre de Mike et tous ses jouets étaient par terre, réduits en morceaux pour la plupart. J'ai compris à cet instant qu'on ne pouvait pas fuir. Nous devions nous battre. Nous nous sentions isolés et dans notre petit monde. Mais c'est ce qui a fini par convaincre mon mari que nous avions affaire à des événements surnaturels. »

ASSAILLANTS INVISIBLES

Denice dit que le plus dur était de ne pas savoir qui les attaquait puisqu'ils ne pouvaient pas voir qui en voulait à Michael. Leur seule défense à l'époque était de prier pour lui.

« C'était effrayant quand il était étranglé et suffoquait et qu'on pouvait voir sa gorge se serrer. J'ai enregistré cela car je savais que les gens auraient du mal à me croire. Ma mère a été tirée de son lit par les pieds par une entité invisible alors qu'elle tentait de protéger mon fils qui dormait chez elle. Le fantôme l'avait suivi chez elle, à des kilomètres de là. J'ai réalisé que notre maison n'était pas hantée. C'était sur Michael que se focalisaient des êtres maléfiques.

Une autre fois, Michael était chez mes parents quand quelque chose l'a attaqué et mon père est intervenu, disant à l'entité de s'en prendre plutôt à lui. Il le regretta. Il se fit sauter dessus. Mon père eut l'impression d'être cloué au sol par un gros animal, une sorte de lion. Il se retrouva paralysé par l'énergie émanant de cette chose pendant quelques minutes jusqu'à ce qu'elle le laisse partir. Il était très secoué et me dit qu'il ne savait pas comment Michael faisait pour survivre à des expériences aussi terrifiantes. »

La famille Jones n'était évidemment pas la seule à être tourmentée par des entités chez elle. Un jour, quand la sœur de Denice et ses enfants sont venus leur rendre visite, sa nièce est sortie en hurlant de la salle de bain. Quelque chose faisait couler l'eau à gros bouillons dans le lavabo et se moquait d'elle. Les enfants et leur mère refusèrent de rester là plus longtemps.

Puis les grognements commencèrent. C'était un son sinistre et menaçant impossible à localiser, ce qui le rendait d'autant plus troublant.

Alors que les attaques contre Michael s'intensifièrent, le laissant paralysé de deux à six heures, Denice dut le retirer de l'école pour lui faire cours à la maison. La vie de famille devenait intolérable. Les autres enfants refusaient d'aller seuls aux toilettes ou de prendre une douche sans qu'un des parents soit présent. Dès qu'ils voulaient boire un verre d'eau ou grignoter quelque chose, ils allaient par deux à la cuisine. Même Denice avait peur d'être seule à la maison lorsque les enfants étaient à l'école et Bruce au travail. Elle restait dans sa voiture sur le parking jusqu'à ce que ce soit l'heure de chercher les enfants ou faisait des courses en ville.

ARRIVÉE DES ENQUÊTEURS

Finalement, ils demandèrent l'aide d'une équipe d'investigateurs du paranormal. Ceux-ci capturèrent des phénomènes de voix électroniques et ce que Denice qualifie « d'anomalies » sur plusieurs photos qu'ils prirent, mais elle sentit qu'ils avaient surtout envie d'exploiter son histoire pour se faire de la publicité et remarque avec acidité qu'ils reçurent une amende pour excès de vitesse en se rendant à un studio de télé. Leur relation dégénéra au point que les Jones appelèrent leur avocat pour discuter des droits sur les documents qu'ils avaient collectés et l'histoire potentiellement lucrative qu'ils voulaient publier. Mais Denice leur fut reconnaissante de faire intervenir l'évêque local qui réalisa le premier d'une série d'exorcismes, réduisant la sévérité des attaques contre Michael à l'époque.

« Voir mon fils frappé, griffé et étranglé par des entités invisibles était aussi douloureux que si un humain l'avait attaqué, mais avec le traumatisme supplémentaire de ne pas savoir ce que c'était et de ne pouvoir l'en empêcher. J'ai dû me battre et je ne sais le faire qu'à travers la foi. »

L'EXORCISTE

« Initialement, je m'étais tournée vers l'église où mes enfants avaient fait leur catéchisme, mais on a refusé de m'écouter. J'ai supplié qu'on bénisse ma maison et l'on m'a répondu que ça ne se faisait plus. J'ai eu l'impression d'être giflée. J'étais en colère et bouleversée. J'ai écrit à l'archidiocèse et n'ai pas reçu de réponse. J'ai appelé et l'on m'a dit qu'il faudrait des mois avant qu'on me recontacte. J'ai supplié qu'on m'aide. J'ai dit que c'était urgent, que mon fils était blessé, qu'on ne pouvait plus attendre. J'ai ajouté que j'avais des rapports médicaux et des preuves en vidéo, mais l'archidiocèse est resté de marbre et ne m'a jamais rappelée. Puis on m'a parlé d'un évêque à Monroe. Il a demandé à voir les preuves et dit qu'il pourrait aider mon fils, mais que je devrais attendre trois jours, le temps qu'il examine les documents. Il a ajouté que Michael aurait besoin d'un exorcisme en latin et qu'il devrait jeûner pendant trois jours pour être en état de grâce et obtenir un résultat efficace. Quand je l'ai rencontré, je me suis sentie mal pour lui. Le pauvre homme était déjà bien trop mince pour sauter des repas. Il réalisa l'exorcisme dans une église vide. Michael s'assit au premier rang et resta

très calme. Il se plaignit d'avoir mal au cœur et l'évêque lui donna de l'eau bénite à boire. Mike jetait des regards en coin comme s'il voyait quelque chose. Plus tard, il m'a dit qu'il y avait une silhouette sombre qui se moquait de lui. J'étais très nerveuse pendant la cérémonie, même si je ne comprenais pas ce qu'il disait. C'était entièrement en latin. Il n'y avait rien de théâtral. Pas de voix démoniaques ou d'effets spéciaux comme dans les films. C'était très digne et émouvant. J'avais l'impression d'être enveloppée d'amour, mais à un moment, j'ai senti une brise froide sur mon visage et une odeur de roses. Michael m'a dit ensuite qu'il avait ressenti les mêmes choses et que tout avait l'air plus lumineux qu'auparavant.

À la fin de la cérémonie, l'évêque m'a dit qu'il faudrait peut-être plus d'une séance et que je pouvais l'appeler à tout moment. Il a refusé mon argent, même une donation. Ce soulagement et cette impression qu'on nous retirait un poids des épaules ne dura pas longtemps et les manifestations reprirent. Les âmes sensibles attirent les esprits et on ne peut pas choisir ce qui vient. À cause de ses dons de médium, Mike était un flambeau dans l'obscurité. »

TOUTE MAISON A SES FANTÔMES

Finalement, la famille dut quitter la maison à cause des poltergeists permanents, mais le problème ne fut pas résolu pour autant.

« Chaque maison a ses fantômes. Heureusement, ceux de notre nouveau domicile n'étaient pas aussi agressifs. Pourtant, c'était pénible. Nous avons beaucoup déménagé pour oublier les mauvais souvenirs attachés aux lieux. Mais Mike a attendu d'avoir 17 ans pour réaliser qu'il devrait vivre avec ces esprits et apprendre certaines choses d'eux.

À ce moment-là, nous avons compris que la sensibilité et les dons de Michael les attiraient ou réveillaient ceux qui se trouvaient déjà là. Quelques semaines après notre emménagement dans notre maison actuelle, Mike m'a dit qu'il y avait une vieille dame avec de longs cheveux gris, penchée au-dessus de la table près du micro-ondes. Il décrivit la belle-mère de l'ancien propriétaire que j'avais vue sur une photo qu'il avait oubliée là. Cette fois, Mike n'a plus eu peur. Les esprits ne l'effraient plus et de ce fait, les entités négatives ne viennent plus à lui. Le nombre d'incidents inquiétants a beaucoup diminué. »

TOUT RÉVÉLER

J'ai conclu mon entretien avec Denice en lui demandant ce qui l'avait poussée à écrire ce livre et si elle regrettait d'avoir révélé ses expériences.

« On a beaucoup parlé de moi avant la publication du livre à cause

Le Sixième Sens est sorti des mois plus tard.

des enquêteurs qui voulaient exploiter notre histoire. J'ai participé à des émissions de télé comme Primetime Live *ou* Unsolved Mysteries. *Le lendemain, en ouvrant ma porte, je me suis retrouvée devant des caméras de télé dans mon jardin et quelques minutes plus tard, les enquêteurs étaient chez moi et me demandaient pourquoi je ne voulais pas coopérer.*

Ils m'ont dit que la presse racontait que l'exorcisme de mon fils n'était pas approuvé par l'Église catholique. J'avais fait appel à l'évêque car je ne voulais pas attendre des mois comme le voulait l'Église. Ils m'ont demandé de défendre l'évêque, ce que j'ai fait. J'ai refusé qu'on dise qu'il avait mal agi. Il a aidé mon fils alors que l'Église n'avait pas voulu le faire. C'est pour cela que j'ai parlé aux médias. Ensuite, ça n'a pas arrêté. L'intrusion dans nos vies n'a pas cessé.

Le Sixième Sens est sorti des mois après ma participation aux émissions de télé et mes interviews dans la presse et souvent, des journalistes m'ont dit qu'ils pensaient que le film était basé sur l'expérience de mon fils. L'histoire était très similaire. Lorsque Michael l'a vu, il n'a pas pu rester jusqu'à la fin. C'était trop proche de son vécu. On m'a suggéré d'intenter une action par le biais de mes avocats, mais je n'avais pas raconté notre histoire pour gagner de l'argent. Je l'ai fait pour que les gens réalisent qu'ils n'étaient pas seuls face à ce problème. D'autres familles ont vécu la même expérience et souffert comme nous parce qu'elles ont un fils ou une fille avec des dons particuliers.

Je n'aime pas l'attention des médias. Certains ont été gentils, mais d'autres étaient agressifs, intrusifs, cyniques et méchants. J'ai reçu beaucoup de lettres de soutien de familles de différentes religions et ça continue. J'essaie d'y répondre personnellement.

Les sceptiques ne me gênent pas. Il est difficile de croire à ces choses quand on ne les a pas vécues et de comprendre ce qu'on ressent.

Beaucoup de gens souhaitent voir des fantômes et vivre des phénomènes paranormaux. Je ne peux que leur dire de faire attention. Quant aux sceptiques, s'ils vivaient le quart de ce que nous avons subi, ils n'auraient plus de doutes, mais je ne souhaite cela à personne. Donc si vous êtes encore sceptiques après avoir lu notre histoire, c'est que vous n'avez pas connu le pouvoir du paranormal. La vie n'est-elle pas merveilleuse ? J'aimerais tellement pouvoir en dire autant ! »

LE PEINTRE FANTÔME

Les cas de possession ne sont pas tous déplaisants ou stressants. En 1905, Frederick Thompson, un amateur anglais sans grand talent, se mit à peindre des tableaux remarquables dans le style du célèbre Robert Swain Gifford récemment disparu. Les deux artistes s'étaient brièvement rencontrés, mais Thompson n'était pas familier avec l'œuvre de Gifford (voir *Trees and Meadow*). Lorsqu'il se rendit à une exposition de Gifford, il constata la similarité entre ses nouvelles créations et celles de l'artiste défunt.

En étudiant l'un des tableaux de Gifford, Thompson entendit une voix dans sa tête le pressant de poursuivre son œuvre. «Vous avez vu ce que j'ai fait. Pouvez-vous continuer et achever mon travail ? » C'était la voix qui poursuivait Thompson depuis 18 mois et lui avait suggéré les sujets qu'il devait peindre. Thompson craignait de perdre la tête, mais ses tableaux étaient bien plus accomplis que par le passé et il put même en vendre certains. Ses toiles finirent par attirer l'attention d'un critique d'art qui remarqua que plusieurs d'entre elles ressemblaient étrangement à des croquis inachevés laissés par Gifford à sa mort.

Au fil du temps, l'influence de Gifford déclina, mais Thompson conserva son nouveau talent et gagna peu à peu le respect du monde de l'art.

CHAPITRE 9

EXORCISTES

Si les fantômes sont des énergies résiduelles résonnant dans l'espace céleste ou des esprits désincarnés et qu'on peut surtout attribuer les phénomènes de poltergeist à des accès involontaires de télékinésie, y a-t-il des preuves pour épauler la croyance en l'existence d'esprits maléfiques ? Les cas de possession démoniaque sont-ils le symptôme d'une superstition enracinée ou un désordre de la personnalité mal diagnostiqué ?

DÉMONS ET DIABLES

Le 11 décembre 1937 reste tristement célèbre dans l'histoire comme étant la date du massacre de Nankin. Des centaines de milliers de civils chinois ont été tués par les envahisseurs japonais dont les troupes se déchaînèrent après le bombardement qui rasa les bâtiments en bois de la ville tentaculaire. Ce fut l'enfer sur terre, mais au milieu du carnage et du chaos, les portes du monde des ombres se retrouvèrent grandes ouvertes pour un véritable démon, un tueur en série cannibale traqué jusqu'à son repaire, un silo à grains désaffecté. La police encercla le bâtiment, décidée à ce que justice soit faite, même si ses crimes semblaient dérisoires comparés au massacre se déroulant à l'autre bout de la ville.

Ce n'était pourtant pas une affaire criminelle ordinaire. La police fut appelée sur les lieux par le père Michael Strong, prêtre de la paroisse locale qui demanda de retarder l'arrestation le temps qu'il se livre à un exorcisme. Le père Michael croyait fermement que le fugitif, Thomas Wu, avait tué et dévoré ses victimes alors qu'il était possédé par un démon. Il allait s'en débarrasser si les forces de l'ordre et le bombardement japonais lui donnaient dix minutes pour affronter le véritable auteur de ces atrocités face à face.

Quand le capitaine de la police arriva sur place, il trouva le père Michael se tenant devant Thomas Wu, nu et recroquevillé, brandissant un couteau. Dans un état d'agitation avancé, il avait l'air d'une bête traquée pouvant jaillir de sa tanière à tout moment. Tandis que les yeux du capitaine s'habituaient à la lumière artificielle, il vit quelque chose qui le hanta sûrement jusqu'à sa mort. Sur des étagères en bois courant le long des murs, les corps en décomposition des victimes de Wu étaient exposés.

Quel genre d'homme pouvait perpétrer ces atrocités ? Ce n'était pas un humain, mais un démon qui allait dévoiler son vrai visage devant des témoins stupéfaits.

« VOUS ! » hurla Wu d'une voix que le capitaine et le prêtre n'identifièrent pas, même s'ils le connaissaient depuis qu'il était enfant. « VOUS voulez savoir quel est MON nom ! »

Le père Michael recula comme si la force des mots l'avait frappé en plein corps. Ses exhortations au nom de Jésus n'eurent aucun effet sur l'homme bavant et ricanant qui sembla puiser des réserves d'énergie inhumaines pour se dresser de toute sa hauteur et hurler comme un animal blessé. « Sors d'ici. Sors d'ici, vieil eunuque répugnant ! »

Il fallut toute sa foi au père Michael pour rester debout et, la voix tremblant d'émotion, ordonner à nouveau à l'esprit impur de partir.

Le terrible massacre de Nankin eut lieu en 1937, mais il n'y avait pas que les Japonais qui tuaient les Chinois à l'époque.

Wu cracha une série d'injures au prêtre qui fut brutalement interrompu quand les poutres du toit s'embrasèrent. C'était sans doute un engin incendiaire ou le démon qui voulait dérober sa proie au père Michael. En un instant, le capitaine empoigna le prêtre et l'arracha au bâtiment en feu.

À quelques mètres de distance, ils virent les flammes consumer le silo à grains, leur proie et les corps mutilés de ses victimes. Mais Thomas Wu et l'esprit qui le possédait ne s'en allèrent pas calmement. Un visage horriblement déformé apparut à la fenêtre. Le père Michael le décrivit ensuite comme étant frappé « de l'empreinte de Caïn ». Ils entendirent un rire hideux venant du bâtiment et assistèrent à une vision d'horreur. Les traits du visage de Wu se liquéfièrent et furent remplacés par une série de visages, comme si les anciens hôtes du démon étaient libérés par son agonie. C'était ceux, à demi flous, des cauchemars du père Michael. Il pensait en avoir vu d'autres dans de vieilles églises. Il y avait des hommes et des femmes, de toutes races et nationalités, mais ils avaient une caractéristique commune : ils étaient tous malfaisants. Puis la fenêtre se noircit et la structure en bois s'effondra dans un rideau de flammes et de fumée. C'en fut trop pour le prêtre âgé. Il porta sa main à sa poitrine et s'évanouit, mais survécut pour raconter son histoire.

Une telle scène semble sortie du scénario d'un film d'horreur, mais cet événement serait aussi véridique que le massacre de Nankin et plutôt typique des confrontations subies par les vrais exorcistes qui affirment encore à ce jour mener le combat du Bien. (Source : *The Diaries of Father Strong* reproduits dans *Hostage to the Devil* du père Malachi Martin.)

L'EXORCISTE

L'écrivain Peter Blatty a basé son best-seller *L'Exorciste* (qui inspira le film controversé du même nom) sur une véritable affaire de présumée possession démoniaque qui s'est déroulée dans la banlieue de Washington DC pendant les quatre premiers mois de 1949. Selon un compte rendu du *Washington Post* cette année-là, un garçon de 14 ans, Robbie Mannheim, en afficha les symptômes classiques, c'est-à-dire des coupures spontanées, des explosions d'injures involontaires et un changement de personnalité visible après avoir tenté de communiquer avec l'au-delà en utilisant une planche Ouija. Les docteurs qui l'examinèrent ne trouvèrent pas de raison médicale à sa conduite ou ses blessures. Ils conclurent qu'il souffrait d'une forme de dépression nerveuse parce qu'il n'acceptait pas la mort de sa tante préférée. Selon leurs théories, son déni persistant aurait pu provoquer certains désordres psychologiques allant de l'automatisme (actions physiques involontaires) à des troubles obsessionnels compulsifs (peurs irrationnelles ou paranoïa et possession), voire au syndrome de Gilles de La Tourette (qui entraîne des tics gestuels et verbaux et un langage obscène). Mais certaines explications rationnelles ne satisfaisaient pas la famille qui fit appel à un prêtre catholique, pensant que leur fils était possédé par un démon. Comment expliquer sinon les marques sur sa poitrine formant les mots ENFER et MALVEILLANCE ou le fait qu'il les narguait en latin, une langue qu'il n'avait pas étudiée ?

Tandis que le garçon se tordait sur son lit d'hôpital, le prêtre commença le rituel d'exorcisme, mais la lutte fut interrompue quand il l'attaqua avec un ressort du matelas, causant une blessure au bras droit du religieux qui nécessita plus d'une centaine de points de suture. Sans se laisser démonter, un autre prêtre le remplaça et pendant vingt-quatre nuits successives les pères Walter Halloran et William Bowdern prièrent au chevet de l'adolescent. Le dernier soir, Robbie ouvrit les yeux et dit calmement : « Il est parti. »

Ces dernières années, les autorités catholiques ont pris leurs distances vis-à-vis de la pratique de l'exorcisme et ne l'approuvent plus, tandis qu'un rapport de 1972 de l'Église d'Angleterre l'a condamnée et jugée « extrêmement discutable ». En 1974, lors d'une

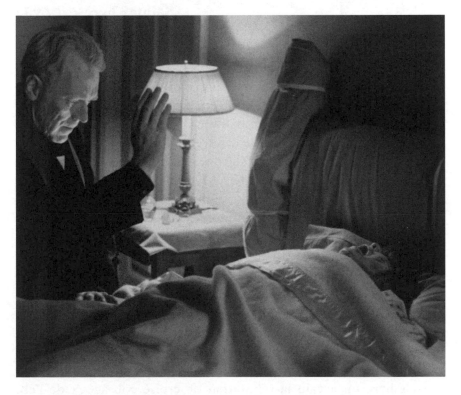

Max von Sydow et Linda Blair dans une scène de *L'Exorciste*.

affaire criminelle célèbre où Michael Taylor, un individu instable, tua sa femme après un exorcisme d'une nuit, son avocat critiqua les religieux qui avaient donné « des névroses à un névrosé ».

Malgré ces attaques, certains croient encore que le Bien et le Mal sont en lutte constante pour posséder les âmes. Le père Halloran, qui participa à l'affaire Robbie Mannheim, se souvint d'une conversation avec le père Bowdern à l'époque où ce dernier remarqua : « Ils ne nous diront jamais si c'était ou non une véritable possession, mais nous le savons. Nous étions là. »

LE VÉRITABLE EXORCISTE

« *J'ai moins peur de Satan que de ceux qui le craignent.* »
Sainte Thérèse d'Avila

Pendant les seize ans passés en première ligne à combattre le crime dans le Bronx, Ralph Sarchie, policier de New York, a vu le côté le plus sombre de la nature humaine, mais il affirme que s'attaquer à des assassins, des dealers et des voleurs n'est rien comparé à ce qu'il affronte pendant son temps libre. Lorsque le sergent Sarchie termine sa journée, il s'arme de ce qu'il estime être la seule défense contre les forces du Mal – un flacon d'eau bénite et un crucifix – car il est exorciste et le diable ferait bien de se méfier de lui. « En tant que fervents catholiques, nous prenons au mot l'injonction de Jésus de « chasser les démons en mon nom » », dit-il avec une fierté visible.

EXORCISTES AU TRAVAIL

Les collègues de Sarchie du 46e district se moquaient de lui, mais il a eu sa revanche. Ses affaires les plus spectaculaires ont à présent inspiré un best-seller, *Beware of the Night*, qui se lit comme un polar noir, avec des démons dans le rôle des criminels.

Ce livre lui a valu la réputation de croisé courageux de l'ère moderne au sein de la droite chrétienne américaine qui pense que

Sainte Thérèse d'Avila, courageuse face au diable.

le diable est derrière chaque acte malfaisant sur Terre, ainsi que la condamnation de ceux qui redoutent qu'en rejetant les maux de la société sur un ennemi mythique, nous nous absolvons de nos responsabilités au risque de retourner vers l'obscurantisme.

Les critiques de Sarchie soulignent que s'il y a des preuves anecdotiques et photographiques de l'existence des fantômes, personne, en dehors d'un asile psychiatrique, n'a affirmé avoir vu le diable depuis le Moyen Âge. Ils soulignent le fait que la publication du livre contredit le principe de Sarchie empêchant quiconque de parler de ces expériences, car admettre l'existence d'un démon lui donne du pouvoir. Ce à quoi il réplique que le public doit être mis en garde contre la menace grandissante du démon et de ses disciples. Il cite le père James LeBar, l'un des quatre exorcistes de l'archidiocèse

Le public doit être mis en garde contre la menace grandissante du démon et de ses disciples.

de New York, qui a affirmé que cette pratique est passée de zéro en 1990 à « plus de 300 » au début du nouveau millénaire. Chaque année, il y aurait entre 800 et 1300 exorcismes autorisés dans le monde.

Dans un entretien à la station chrétienne Enigma Radio en octobre 2005, il soumit sa théorie sur l'augmentation des possessions démoniaques. Il pense que les gens sont plus nombreux que jamais à « s'essayer à l'occultisme », ce qui en fait des cibles pour les entités malfaisantes. La seule défense, dit-il, est une foi solide et un régime de prières quotidiennes. Selon Sarchie, qui se décrit comme très pieux, chacun a choisi son camp après les attaques du 11-Septembre et nous entrons à présent dans « la fin des temps » prédite par la Bible quand il ne suffira plus d'observer à distance la lutte apocalyptique.

POLICIERS DU MONDE SPIRITUEL

Sarchie affirme avoir assisté à plus de vingt exorcismes où il a servi de « gros bras », restreignant la personne possédée tandis qu'un prêtre catholique exécutait le rite. Mais depuis la mort de son mentor, le père Martin, il a de plus en plus de mal à persuader un membre du clergé à pratiquer l'exorcisme, une situation qu'il voit comme symptomatique de l'influence de Satan au sein de la prêtrise ! Selon lui, les prêtres sont les « policiers du monde spirituel » et il souligne que même Jésus en faisait. Il estime que Satan influe sur tout, « de la politique à la religion », et pourtant « de nombreux curés, voire des évêques de l'Église catholique ne croient pas au diable ». Le clergé protestant ne l'aide pas non plus, dit-il, car il ne propose qu' »une délivrance » où il faut prier Dieu pour qu'il intervienne dans des cas de poltergeist ou de possession. Seuls les prêtres catholiques sont autorisés à confronter le Mal en personne, si l'on peut dire, et Sarchie se propose désormais d'affronter les esprits maléfiques lui-même.

Il nie quand on l'accuse d'être un « fanatique religieux » autosatisfait et admet qu'il est « tout sauf un saint », mais il est très sérieux au sujet de sa mission qu'il qualifie d' »Œuvre » pour la distinguer de sa carrière.

Et il croit sincèrement que son expérience des interrogatoires de tueurs et de violeurs l'a préparé à la « vraie bataille » contre un adversaire plus rusé et séduisant que n'importe quel escroc auquel il s'est mesuré.

LES ÉTAPES DE LA POSSESSION

D'après Sarchie, l'objectif du démoniaque est de créer « le doute et le trouble émotionnel qui dévorent la volonté de sa proie, la préparant pour la possession ». La première étape de la possession, dit-il, est l'obsession où l'individu rumine des peurs irrationnelles, s'autorise une conduite aberrante ou une préoccupation morbide pour les crimes violents, se plonge dans le monde de l'occulte avec une planche Ouija par exemple.

« Il devrait y avoir une loi contre ces jouets maléfiques et occultes. J'en entends dire : « Eh, j'ai utilisé une planche Ouija et il ne s'est rien passé. » Vous avez eu de la chance. C'est comme de jouer à la roulette russe. Quand on met le revolver sur la tempe et qu'on n'entend pas de détonation, on a gagné. C'est la même chose avec la planche : plus on appuie sur la détente, plus on risque de basculer dans l'obscurité au coup suivant. »

Ces obsessions, affirme-t-il, sont destinées à détruire de l'intérieur la spiritualité d'une personne. Dans sa vision des choses, au cours de la deuxième étape, « l'oppression », l'entité assaille les sens avec d'horribles cris d'animaux, des bruits et d'autres phénomènes inexplicables qui doivent la perturber et briser sa résistance, comme une ville assiégée. Ces attaques ont tendance à survenir vers trois heures du matin quand la victime est le plus vulnérable, le moment où ont lieu la plupart des suicides.

« Les puissances sataniques ne sont pas les seules à utiliser la symbolique du trois pour montrer leur mépris de la Sainte Trinité. Leurs terroristes aussi frappent souvent à trois heures du matin. C'est une insulte supplémentaire à Dieu, dont le fils Jésus-Christ est mort sur la croix à trois heures de l'après-midi. La volonté démoniaque fait le contraire de tout ce qui est sacré, donc elle aime attaquer à l'heure opposée, avec des phénomènes surnaturels qu'on peut qualifier de miracles à l'envers. »

La dernière et troisième étape est la pleine possession physique lorsque la victime devient le sujet de la volonté supérieure du démon. Elle semble normale jusqu'à ce que l'entité soit mise au défi de révéler sa vraie nature pendant l'exorcisme. Sarchie dit qu'alors, il peut « le » voir – c'est-à-dire le Mal – dans les yeux de la victime.

LA PURIFICATION PAR LE JEÛNE

Pour se préparer au rite, un exorciste doit jeûner pendant trois jours pour se purifier. Il n'est donc pas dans une forme optimale pour ce qui est souvent une lutte longue et épuisante. Outre la tension mentale et émotionnelle, il doit invariablement maîtriser la personne possédée qui peut avoir acquis une force exceptionnelle, ce qui se produit aussi dans certains cas de troubles psychiatriques.

Un de ces rites a duré deux heures éreintantes avant de chasser « l'esprit impur », laissant le policier musclé tremblant et épuisé comme s'il « avait fait du sport ». Ces expériences n'ont pas découragé Sarchie, ni entamé sa conviction que « Dieu ne laisse personne affronter ce qui le dépasse », son explication au fait que lors d'une précédente attaque, il fallut cinq hommes pour maîtriser la victime, mais miraculeusement, il put le faire seul à cette occasion.

Selon Sarchie, les entités maléfiques « peuvent raser une maison en une seconde. La puissance des démons les plus insignifiants est étonnante », mais ils sont sujets aux limites imposées par Dieu qui « les utilise pour nous mettre à l'épreuve ».

Donc, comment combattre cette menace invisible ?

« La confrontation directe est la seule solution. Sinon, c'est la volonté humaine contre le démoniaque et nous savons où ça peut mener... J'essaye toujours de me tenir en dehors de cela, je dis « Au nom de Jésus-Christ, je vous ordonne... » Et non « Je vous ordonne ». Nous n'avons pas de pouvoir sur le démon. Dieu le détient. Nous sommes attaqués en permanence, mais des gens éclairés savent qui les agresse et peuvent se défendre malgré leur peur. »

« Les attaques terroristes ont souvent lieu à 3 h du matin. C'est une insulte supplémentaire à Dieu, dont le fils Jésus-Christ est mort sur la croix à 3 h de l'après-midi. »

Ce sauveur autoproclamé se considère « éclairé » et croit qu'il peut faire la distinction entre un fantôme et un soldat de Satan.

Les fantômes, dit-il, sont les esprits des défunts, alors que les démons étaient des créatures angéliques qui ont perdu leur grâce surnaturelle, mais pas leurs pouvoirs. Ils vont de la brute violente qui grogne comme une bête au monstre qui attaque en utilisant son intelligence. Sarchie affirme qu'un démon ne peut pas se faire passer longtemps pour amical avant de dévoiler sa vraie nature. La victime est alors trop faible pour s'en sortir et seul un exorciste peut forcer l'entité à partir. La stratégie de Sarchie consiste à lui faire prêter serment, signifiant qu'il lui ordonne de ne plus intervenir d'une façon qui ressemble étrangement à celle employée par les magiciens médiévaux. Évidemment, la frontière entre magie et rituel religieux est très fine.

« Je ne veux pas assister à des manifestations ou des phénomènes, dit-il. Je ne veux rien sentir qui me donnera envie de vomir ou voir des objets voler. J'ai un jour aspiré une bouffée de quelque chose pendant un rite et vomi. J'avais jeûné pendant trois jours et j'avais des nausées. C'était très déplaisant. »

Il rompt alors le contact avec l'objet de la purification pour ne pas dialoguer avec lui. Dès ce moment-là, il présume que tout ce qui sort de la bouche de la victime vient du démon et ignore « les appels à l'aide pitoyables ». Il refuse aussi de regarder l'hôte dans les yeux de peur d'être détourné de sa tâche, assurant que l'entité va prendre son regard pour un défi. Cela semble une bonne tactique en cas de véritable attaque, mais si la victime souffre d'un quelconque trouble psychologique, ignorer sa détresse et éviter le contact visuel tout en la réprimandant parce qu'elle est possédée par un esprit impur est pour le moins contre-productif.

DÉMONS ET SYNDROME DE STOCKHOLM

Souvent l'hôte considère l'exorciste comme une menace plutôt qu'un sauveur – quelqu'un décidé à lui causer une douleur physique et psychique – et résiste à toute tentative de chasser le démon de son corps. Sarchie croit que la nature parasitaire de l'entité peut même créer un état psychologique semblable au syndrome de Stockholm – dans lequel une victime d'enlèvement s'identifie à son ravisseur – et n'apprécie pas son interférence. Bien sûr, si l'individu souffre d'un trouble mental (et non d'ordre surnaturel), son ressentiment et sa résistance sont largement justifiés.

Une affaire typique commence par l'appel désespéré d'un conjoint ou d'un parent affirmant que la personnalité de son partenaire ou son enfant a radicalement changé. Mais Sarchie dit qu'il ne peut intervenir que si la victime de la supposée possession l'invite à le faire et bien sûr, aucun démon digne de ce nom ne permet cela à son hôte à moins de chercher la bagarre. Cependant, il n'y a pas besoin de permission si une maison est le site de ce qu'il appelle « l'infestation », c'est-à-dire que la personne possédée est au centre de l'activité démoniaque (poltergeist) et risque de se blesser elle ainsi que d'autres membres de la famille.

L'EXORCISME D'HALLOWEEN

Parmi les 20 cas de possession supposée traités par Sarchie, il estime que le plus éprouvant est celui qu'il affronta le soir d'Halloween 1991. Tout a débuté quand son partenaire disparu, Joe Forrester, responsable du détecteur de mensonges au service de l'aide juridique, reçut l'appel d'un prêtre catholique du comté aisé de Westchester, au nord de New York. Joe, dont la couronne de cheveux bruns le faisait ressembler à un moine bénédictin, n'était pas du genre à se laisser faire en matière de surnaturel. Ancien combattant du Vietnam, il était doté de ce que Sarchie appelait son « détecteur de conneries » et savait très bien quand on tentait de le rouler.

Mais Sarchie assure que cet incident semblait en tout point être une véritable possession. Gabby Villanova, une jeune mère au foyer, était poursuivie par un esprit tragique du nom de Virginia qui disait s'être fait tuer lors de sa nuit de noces et cherchait à retrouver sa famille. Son fiancé, accusé du meurtre à tort, s'était suicidé avant son procès. Lorsque Gabby lui avait demandé de nommer le coupable, l'esprit aurait hurlé : « Je ne peux pas le dire ! » Bien sûr, sa stratégie consistait à attirer sa victime en racontant une histoire d'amour tragique aux airs de mélodrame victorien dans l'espoir d'obtenir sa compassion.

S'étant assurée de l'attention de Gabby, « Virginia » se manifesta alors en plein jour quand sa victime était seule à la cave. C'est ce qu'elle raconta à son sauveur quand elle retrouva son sang-froid une fois « l'esprit » exorcisé :

« Mon attention a été attirée par un grand miroir suspendu au mur. J'y ai vu Virginia. Elle a répété : 'Parents, à l'aide.' Puis elle me dit qu'elle avait fréquenté un pensionnat à l'étranger avant de suivre ses parents ici. Elle ajouta dans son langage suranné : 'Dans quel genre de lieu sommes-nous ?' Ayant regardé autour d'elle, elle demanda : 'Mais quelle est cette façon étrange de s'habiller ?' Je lui ai répondu : 'C'est ainsi qu'on s'habille dans les années 1990', mais elle a affirmé que nous étions en 1901. Je n'ai ressenti aucune peur et nous avons eu une longue conversation. »

La fois suivante, elle a littéralement pris possession de Gabby contre sa volonté.

« J'ai senti sa présence et je lui ai dit : 'Si tu veux parler, n'entre pas en moi. Je rapporterai tout ce que tu raconteras.' Elle ne m'a pas écoutée et immédiatement est entrée en moi. Elle s'est mise à bégayer et répétait 'Parents, à l'aide'. »

Sarchie note qu'un « démon ne respecte pas la supplication d'un humain, la demande, voire l'ordre de partir, sauf si c'est fait au nom de Jésus-Christ ».

À l'époque, Gabby partageait sa maison avec une femme d'âge moyen, Ruth et son fils de 25 ans, Carl. Ce dernier s'était fiancé à la fille de Gabby. Ruth aurait « assisté » à des conversations télépathiques entre Gabby et « Virginia », dont les accès d'émotions devenaient de plus en plus hystériques. Bien sûr, elle n'entendit parler que Gabby, pourtant elle était aussi touchée par cette histoire poignante qui la faisait pleurer.

Dans ce cas précis, Sarchie estima que l'entité était bien plus persuasive et subtile que n'importe quel escroc professionnel rencontré au cours de sa carrière dans la police.

Il dit que les soupçons de Gabby auraient dû être éveillés par les multiples coïncidences entre sa vie et celle de l'esprit. Pourtant, elle laissa son instinct maternel être exploité.

POSSESSION OU SCHIZOPHRÉNIE ?

La foi ardente de Sarchie a visiblement imprégné sa définition du bien et du mal, mais il maintient qu'il peut faire la différence entre une névrose et une vraie possession.

Selon lui, il est difficile de diagnostiquer une possession car la conduite démoniaque est pratiquement indifférenciable de nombreux troubles mentaux et émotionnels. Aussi, les exorcistes autoproclamés doivent se livrer à des évaluations psychologiques au pied levé – et sont rarement qualifiés pour le faire – ou se reposer sur des « psychiatres laïques » qui ne croient pas aux puissances du Mal.

La charge de la preuve revient donc à l'exorciste et son seul critère pour déterminer s'il s'agit ou non d'un vrai cas semble être l'aversion du sujet pour les objets religieux, les accès de langage grossier et un refus compréhensible d'être physiquement maîtrisé, aspergé d'eau bénite et soumis à des heures de prières intensives. C'est un diagnostic très subjectif et les professionnels de santé diraient qu'il y a bien plus vraisemblablement une explication psychologique que surnaturelle, en particulier une forme de schizophrénie. Les symptômes de ce trouble grave peuvent être pris à tort pour ceux d'une possession par quelqu'un n'ayant aucune connaissance médicale, puisqu'ils se traduisent par des périodes de lucidité et l'inefficacité des neuroleptiques.

Lors d'une de ses investigations, une petite fille de 8 ans ne montrait aucun signe d'agressivité, mais parlait couramment latin, ce que Sarchie déclare avoir trouvé très pénible. Pourtant, se mettre à parler dans une langue inconnue est considéré comme un phénomène miraculeux par de nombreux croyants.

« LE DIABLE NE VOUS LÂCHERA PAS »

Lorsqu'on lui demande quel conseil il donnerait aux apprentis exorcistes, il répond sans ménagement de ne pas pratiquer ce rite, sauf si l'on voit des gens qui souffrent et qu'on désire les aider. « Ce n'est pas quelque chose qu'on fait un moment en passant, car le diable ne vous lâchera pas et s'il ne peut pas vous atteindre, il s'en prendra à un de vos proches. »

Cependant, si l'on est décidé à mener ce juste combat, il faut demander de l'aide par la prière et s'assurer que cet élan vient de Dieu et non d'une ambition personnelle. Cela ne doit pas venir d'un désir d'assister à des phénomènes ou « de voir la tête de quelqu'un tourner à 180 degrés ».

Ce dernier conseil nous évoque l'une des phrases que les présentateurs d'émissions de faits divers adressent aux téléspectateurs à la fin de chaque show.

BIBLIOGRAPHIE

Atwater, P.M.H., *Coming Back To Life* (Ballantine 1991)

Bradley, Mickey et Gordon, Dan, *Haunted Baseball : Ghosts, Curses, Legends, and Eerie Events* (The Lyons Press 2007)

Crookall, Robert, *The Supreme Adventure* (James Clarke & Co 1961)

Currie, Ian, *Visions Of Immortality* (Element 1998)

Danelek, Jeff, *The Case For Ghosts* (Llewellyn 2006)

Edward, John, *One Last Time* (Penguin Puttnam 2000)

Holroyd, S., *Mysteries Of The Inner Self* (Aldus 1978)

Moody, R.A., *The Light Beyond* (Rider 2005)

Moody, R.A., *Life After Life* (Mockingbird Books 1975)

Monroe, R.A., *Journeys Out Of The Body* (Doubleday 1971)

Morse, Melvin, *Closer To The Light* (Ivy Books 1991)

Muldoon, Sylvan, *The Phenomena Of Astral Projection* (Rider 1987)

Myers, F.W.H., *Human Personality And Its Survival Of Bodily Death* (Longmans, Green 1903)

Osis, K. et Haraldsson, E., *At The Hour Of Death* (Hastings House 1977)

Praagh, James Van, *Talking To Heaven* (Signet 1999)

Roland, Paul, *The Complete Book of Ghosts* (Arcturus 2006)

Roland, Paul, *Investigating The Unexplained* (Piatkus 2000)

Stall, Sam, *Suburban Legends: True Tales of Murder, Mayhem and Minivans* (Quirk Books 2006)

Wheeler, David R., *Journey To The Other Side* (Grosser And Dunlop 1976) Wilson, Colin, *Afterlife* (Caxton Editions 1985)

Divers auteurs, *Mysteries of The Unknown* (Time Life 1987–91)

INDEX

REMERCIEMENTS

L'auteur tient à remercier les personnes suivantes qui ont autorisé la reproduction d'extraits de leurs publications et sites internet :

L'auteur Jan-Andrew Henderson et Black & White Publishing pour l'autorisation de reproduire des extraits d'*Edinburgh – City Of The Dead* ;

Jeff Danelek de www.ourcuriousworld.com ;

Loyd Auerbach du Bureau des Investigations Paranormales (Office of Paranormal Investigations) ;

Starr Chaney de www.kyghosthunters.com pour « Diary Of A Haunting » ;

Denice Jones de www.life.com qui m'a accordé une interview ;

Jeff Belanger de www.ghostvillage.com pour l'autorisation de reproduire un extrait de son interview avec Dan Gordon ;

About.com pour les appels téléphoniques de fantômes ;

www.paranormalcafe.com pour l'autorisation de citer un extrait d'une interview de Barry Conrad (apparitions de San Pedro) ;

Enigma Radio pour sa diffusion de l'interview de Ralph Sarchie.

Nous nous sommes efforcés de contacter les détenteurs de droits de tous les documents contenus dans ce livre. Tout oubli sera rectifié dans les prochaines éditions.

CRÉDITS PHOTOS

Nous avons pris le plus grand soin de contacter les détenteurs des droits des photographies et illustrations de ce livre. Toute omission sera corrigée dans les éditions suivantes.

« *Sous les vagues du sommeil et du temps d'étranges poissons se meuvent !* »

Thomas Wolfe

Imprimé en France en mai 2010 sur les presses de l'imprimerie
« La Source d'Or »
63039 CLERMONT-FERRAND
Imprimé en France
Pour le compte de Music & Entertainment Books
ISBN 978-2-35726-058-0
Dépôt légal : mai 2010
Première édition : mai 2010
Tous droits réservés.

Dans le cadre de sa politique de développement durable, La Source d'Or a été référencée
IMPRIM'VERT® par son organisme consulaire de tutelle.
Cet ouvrage est imprimé - pour l'intérieur - sur papier offset "Amber Volume" 90 g
provenant de la gestion durable des forêts,
des papeteries Arctic Paper dont les usines ont obtenu
les certifications environnementales ISO 14001 et E.M.A.S.